靜思語

第二集

《公元二〇〇〇年新版序》

讀書可以醫俗，行善可以淑世

——寫在《靜思語》改版發行之前

⊙釋證嚴

發行已逾十年的《靜思語》，就要以嶄新的面貌和讀者見面了。雖然是新壺舊水，但面貌一新，也未嘗不是一件賞心悅目的事。

古人說：「讀書可以醫俗，作詩可以遣懷。」可見讀書之用也，大矣！其實，讀書何僅止於「醫俗」，讀書還可豁人耳目，沁人心脾；更可陶冶性靈，啓人心智。因此，讀書如交友，讀好書如結交良師益友，終身可以享用不盡，受益無窮。

雖然如此，誠如孔子所說的：「法語之言，能無從乎？改之爲貴。巽與之言，能無說乎？繹之爲貴。說而不繹，從而不改，吾未如之何也。」意思是說：「正言告誡的話，能不誠心聽從嗎？聽從而能改，才是最爲可貴；婉言相勸的話，能不欣然接受嗎？接受而能深體微言大義，才是最爲可貴。如果能欣然接受，卻不能深體微言大義；能誠心聽從，卻不能改過遷善，那我就無可如何了！」所以讀書之可貴處，在於能發揮書中微言大義的影響力，而能否發揮書中微言大義的影響力，就要看閱讀的人對於「法語之言」能否

「從而改之」，對於「巽與之語」能否「説而繹之」了。

時序即將邁入西元兩千年，正當大家期待著千禧年的來臨時，我們也期待著改版的《靜思語》早日出版。在過去的十年裡，承蒙不棄，《靜思語》除了中文版外，也發行了英文版、日文版、德文版、印尼文版與簡體字版，目前冊數已逾七十萬冊了，其間，「慈濟教師聯誼會」的老師們更從中發展出「靜思語教學」，使許多小朋友對《靜思語》的好話琅琅上口，進而拳拳服膺，以致能夠影響全家，發揮《靜思語》的大用，這是證嚴最爲欣慰，也最應感激的。

證嚴要向十年前參與編輯的高信疆先生及編輯群敬致最誠摯的謝意，如果十年前沒有高先生及編輯群的努力，《靜思語》就不會廣爲流通；正當《靜思語》改版在即之際，證嚴也要向九歌出版社致上最誠摯的謝意，如果十年前沒有九歌出版社的慨允出版，就沒有今日《靜思語》的嶄新裝扮；如果十年前沒有九歌出版社的大力推介，就沒有十年來《靜思語》的大用之用。因此，儘管現在《靜思語》由慈濟文化出版社重新改版發行，但「法語之言」與「巽與之語」並無兩樣。好書不厭百回讀，能受用的書就是好書。把好書推荐給親朋好友，亦是功德一樁。衷心希望面目一新的《靜思語》，能夠和更多的讀者續結善緣。讀書可以醫俗，行善可以淑世，祝福大家用讀好書，行善事，充實深邃的心靈，彩繪亮麗的一生。

《一九九一年序》

看似尋常最奇崛 成如容易卻艱辛

——寫在《靜思語》第二集出版之前

⊙釋證嚴

唐朝大詩人劉禹錫的詩云：「瞿塘嘈嘈十二灘，此中道路古來難；長恨人心不如水，等閒平地起波瀾。」意思是說：水，只有遇到山石阻隔時，才會激起波濤，形成人見人畏的險灘。

可是，人心，即使是在平地，也會無端生起波瀾，暗喻瞿塘灘道，雖然古來難行，但比起人的心路歷程來，恐怕還要易走得多。這是詩人對人心起伏善變，多所感慨之語。這種感慨，或許很多人會有同感。人心難調能調，只要時常反觀內省，靜思惕厲，起伏善變的人心，也可以調伏得如如不動，清澈見底。

《靜思語》一書，自出版以來，承蒙各方厚愛，讀者謬賞，證嚴愧不敢當，對社會廣大讀者的支持與厚愛，證嚴至爲感激，希望這本書能帶給大家身心輕安，有所得，也有所悟。

現在《靜思語》第二集，在編輯體例上，延續第一集的風格，但內容上則較第一集更爲寬廣，我們這樣做，是爲了使大家有更開闊的思惟空間。

歷代禪師強調言語障道，故不立文字，直指人心。其實，道不在言語，而在人心。如果只是執著於語言文字，而不能體悟語言文字的精髓，依言力行，才是障道的主要原因。語言文字和「道」的關係，就像「以手指月」一樣；以手指月，目的在月不在手。語言文字只是載道的工具而非目的，執著於工具而忘了目的就本末倒置，非以手指月的用意了。

《靜思語》所以用最淺顯易懂的語言，闡述人生的道理，目的只有一個，那就是希望每一位閱讀本書的人都能獲得心靈上的自在。事實上，這個目的《靜思語》第一集已有莫大的啓迪作用了。

王安石詩云：「蘇州司業詩名老，樂府皆言妙入神；看似尋常最奇崛，成如容易卻艱辛。」眞理不在詰屈聱牙的用語中，看似尋常的語句，只要用心體悟，句句都蘊涵著奇崛，浮躍著佛性。

「尋常一樣窗前月，才有梅花便不同」，「靜思」是靜思惟的意思，透過凝神自照，才能調得身心一如，動靜一致，能如此，即使是最淺顯的一句話語，也能發揮無比的威力。

《靜思語》第二集，證嚴不敢奢望它能有多大移風易俗的貢獻，但總希望它能發揮一點潛移默化的功能，爲社會善盡點滴責任。這個希望能否實現，就要看讀者能否深體書中片言隻字的眞義了。

民國八十年十月十四日於靜思精舍

目錄

【下卷】答人間問

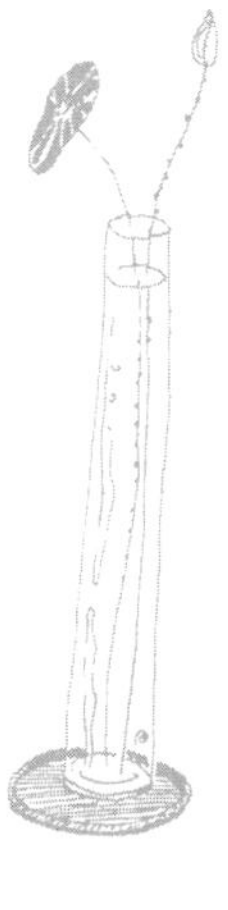

【附錄】

靜思晨語【上卷】

・第一篇・《人生的目標》

讓生命功能永遠像春天

【一鼓作氣】

我們到哪裡都應該有一個目標、起點，要朝目標往前走到底；不要停在半路，停在半路比走到目標還辛苦。就好像爬山的人，要不就留在山下，要不就一鼓作氣爬到山頂上。否則停在半山腰中，石頭若滾下來，豈不是很危險？

【穩住最終目標】

人的一生中，難免會有灰濛濛、氣冷冷的時候，只要能將最終目標穩定住，就能像冬天的太陽一樣，感覺很溫暖。

【活出生命力】

人的生命，要永遠保持像春天一樣，不斷湧出生命力，不斷發揮它的功能，才是活著的人生！

【職業與志業】

所謂職業，是為生活而工作，是被動的辦事；辦公時間按一般上下班打卡，能不遲到早退，公務就算完成。而志業則是沒有上班時間，更沒有下班時刻，雖然不需打卡，卻是分秒善盡義務，一切都出於自願。

【做好事是義務】

做好事總是要騰出時間，這是人生的目的，也是應盡的義務。

【生存的眞諦】

天下、國家、社會、家庭之所以不得太平、安寧、和睦，皆因人人只知爭取生存，而不探究生存的真諦。

【代代傳承慧命】

生命只有數十年，慧命卻永遠不滅。每個人都有代代傳承的子孫，要留下美的回憶與愛的教育給他們，這就是史蹟的慧命常存。

【皈依的目的】

皈依的人要有個皈依的目的，就像在茫茫大海中，到底船隻將駛向哪一個方向？一定要有個目標。而為人皈依者一定要負起責任，比如眼見船隻已經快迷失了，趕快亮起燈塔的燈讓他們知道方向，這就是責任。

【慧命永存】

生命無常，慧命永存；愛心無涯，精神常在。

・第二篇・《談毅力》

成功的起點

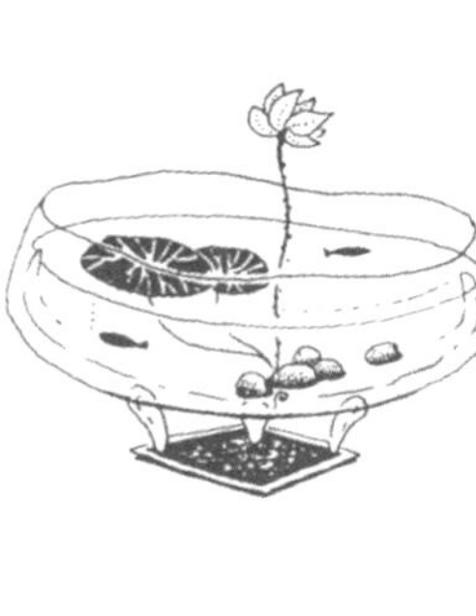

【有願才有希望】

願是成功的起點，願也是希望。人生最需要的就是願，一切事業要成功必須有願。十方三世一切諸佛皆依願力而行，最後才能圓滿成佛。「人」如無願，就無希望；沒有希望，就無法成就事業。

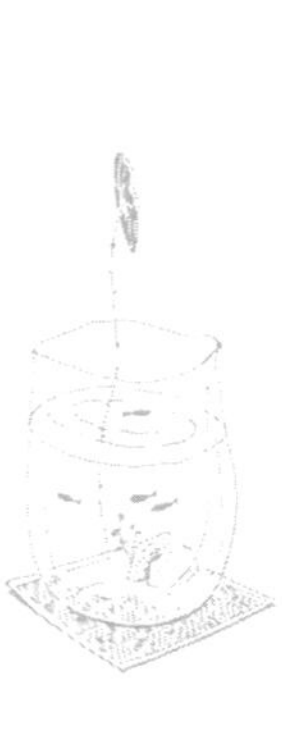

【願力並行】

佛教提倡「願」、「力」並行，若僅是空口談願，卻不以實際行動表現，永遠都無法滿「願」。

【發大願】

發願——必須發利益眾生的大願，並且隨時隨地身體力行。

【眞正的普度】

真正的普度是發大心、立大願，普愛一切眾生。

【願大、志堅、氣柔、心細】

願要大，志要堅，氣要柔，心要細。

・第三篇・《宗教的精神》

沙漠中的甘泉

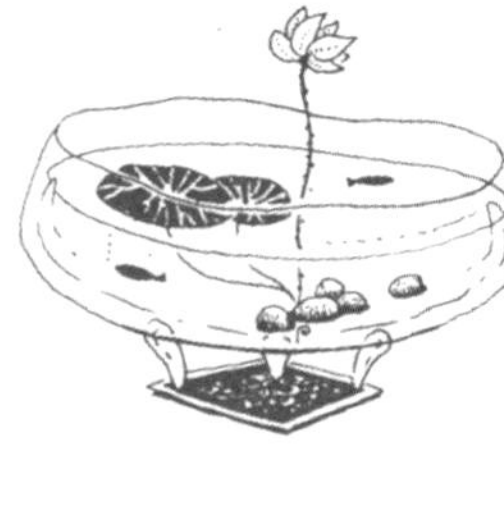

【深入了解佛法】

有些人不了解佛法，以為有苦惱或不幸的人才需要宗教；以為佛教是消極、逃避現實的，這是錯誤的觀念。其實愈是有知識、有志節，要追求宇宙真諦、探討生命奧祕之士，愈需要了解宗教——尤其是佛教。

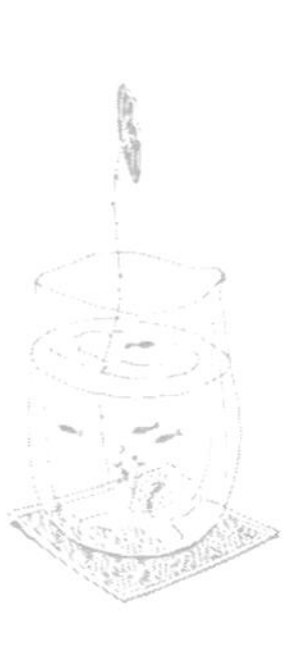

【眞正的灑脱】

人生難得灑脱，要灑脱必須擁有宗教精神及人生目標，才能得到真正有意義的灑脱！

【運動家精神】

佛教徒應具足運動家的精神，只要肯精進，一定可以到達終點——佛的境界。

【宗教的力量】

宗教的力量，不僅能鼓舞人們的身心，並能帶來心靈的淨化。

【心胸光明磊落】

世間事都是相對的，只要我們以真誠的愛心待人，以光明磊落的心胸任事接物，則人生到處都充滿真善美。

【禮敬諸佛】

正信的佛教徒稱「禮敬諸佛」，不只是「拜佛」，而是要學佛陀的大慈悲和大智慧。

【佛教的絕對論】

欲以出世精神做入世志業，必須抱持：「絕對要任勞」、「絕對要忍怨」、「絕對要有愛」、「絕對心存快樂」……，這是佛教精神的「絕對論」，也是與世間法「相對論」所不同之地方，更是利生事業臻至完美境界之關鍵。

【救世的良藥】

佛法是救世的良藥——因為世間的眾生，常處於病與貧的狀態中。無論天然災害或人為禍亂，都是因為不調和而引起的病態；既然產生病態，即需治世的良藥，佛法就是最好的良藥。

【捨己爲人】

佛教的真正精神在於不為自己，一切只為眾生求安樂，寧可捨己，以自己的犧牲使他人得到安樂。

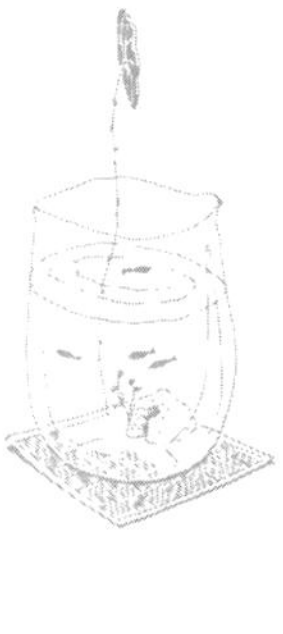

・第四篇・《菩薩的心》

慈悲與智慧的化身

【人人都有菩薩心】

人人本具一顆菩薩心，也具有和菩薩同等的精神與力量，此力量即慈悲與智慧的力量，它恆藏在人人內心的本性。

【菩薩行者】

菩薩行者心懷慈悲，常起利益眾生的念頭，無論到任何地方，心都無畏懼。因此，若能做到以愛待人、以慈對人，則不惹人怨，亦能結好緣。

【學習大無畏】

行菩薩道，要經常接受考驗。遇到困難與危險時，要學佛陀大無畏、大勇猛的精進精神，心無怖畏、志不退縮，不斷向前邁進。

【歡喜別人成就】

我們應為別人的成就生歡喜心，視他人的成功猶如自己的成就，這就是菩薩心。常常抱持利益眾生之心，就可永遠不離喜樂。

【惟慧是業】

菩薩之情廣大無邊際，能包容宇宙，能無限量地愛一切眾生，絲毫不求眾生的回報。菩薩常念知足、安貧樂道，所追求的只是智慧，所以說「惟慧是業」——依智慧而行動，這是凡夫與菩薩不同的地方。

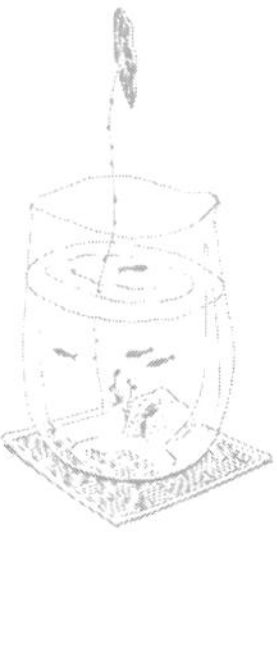

【發揮良知良能】

人人都有佛性，只要能發揮良知良能，沒有一個人不能去救人、去造福人群；這分救人之心，就是菩薩心。

【如何成就道業？】

欲成就菩薩道業，必須擁有不畏心勞、不懼身苦的精神毅力，勇往直前，方能達成。

【清水之愛】

菩薩的愛像一杯清水，可以從上透視到底，沒有一點色彩，此即「清水之愛」。

【眞菩薩】

菩薩不是土塑木刻的形象，真正的菩薩能做事、能說話、能吃飯，能尋聲救苦隨處現身。

【人生的價值】

人生的價值在於功能而不是形象，形象沒有價值。

【歡喜付出】

要做菩薩，就要發恆常心。菩薩決不把「付出」當成苦事，而是抱持遊戲人間的歡喜心去付出。

【扮演自己的角色】

人間如舞臺，人人都在舞臺上扮演各自的角色。

【眞正的靈感】

寺院中木刻、石雕的佛菩薩像，只是供我們攝心，真正靈感的佛菩薩在每個人的心中。

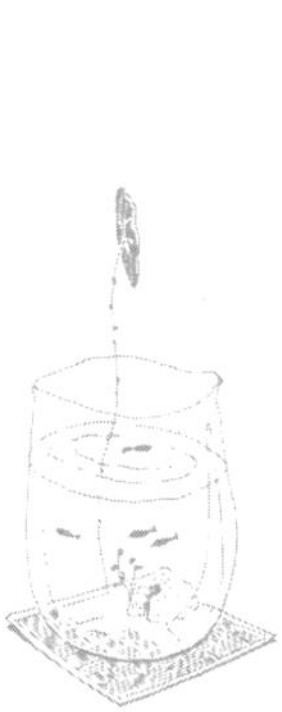

・第五篇・《利用身體》

赤裸裸地來

【愛惜人身】

一切功德由時間所累積，一切功德由我們身體行動所成就；所以，我們要好好愛惜人身。

【及時行善】

要好好利用我們的身體，趁能自由說話、走動的時候，趕快多做利益人群、宣揚佛法和導人向善的事。

【遵從良醫】

人都有生老病死，有身體就有病痛。佛陀曾說：「我如良醫，知病說藥；服與不服，非醫咎也。」既知有病，就應遵從良醫的診斷治療，免除身體苦患。

【一生的行爲】

人一生的行為，不管是善是惡，皆由時間所累積。

【身是載道器】

人對軀體有兩種看法：一、太愛自己，珍寵得過分，捨不得善加利用；二、太輕視自己，輕視得近乎折磨，以為身既是「不淨物」又何必重視，因而忽略了身是「載道器」。其實，只要好好發揮身體的功能，不但處世大業能夠成就，佛道也將不遠。

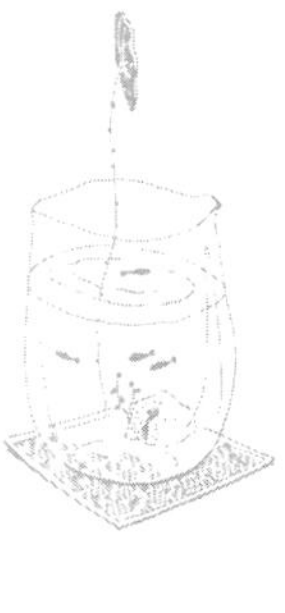

【赤裸裸地來去】

人出生時，是一身赤裸裸地來；在世間忙碌了幾十年，到最後也是一物不帶而赤裸裸地走！

【人生的創造者】

每天無所事事，是人生的消費者；積極付出，才是人生的創造者。什麼都沒做，就是空過的人生；若能不斷付出利益人群，就是大好的人生。

【活生生的人生】

身為佛弟子，就應學習佛陀的精神，為需要幫助的人服務，並與眾生同苦樂。能做到人我一體，就是「成功的人生」，亦可稱為有意義、有感情，真正「活生生」的人生。

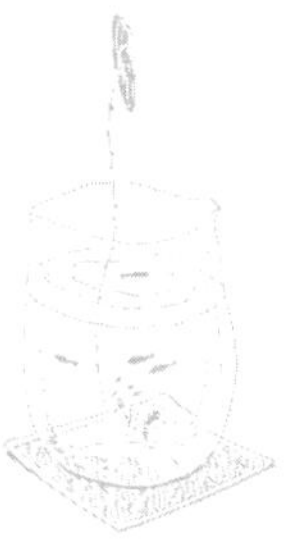

・第六篇・《談情說愛》

愛河千尺浪

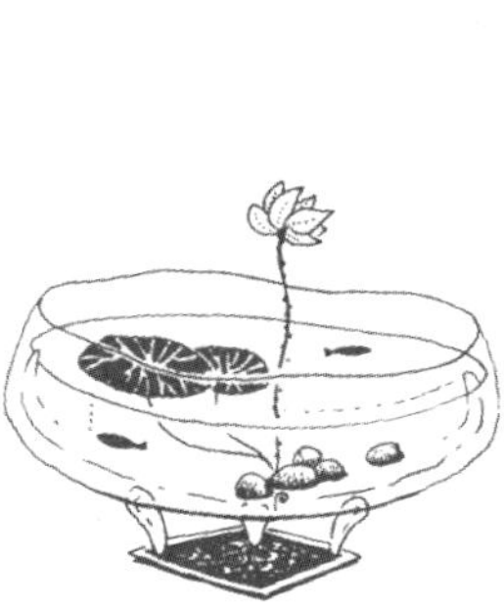

【多疑之苦】

一般凡夫太愛自己，就會處處與別人計較、事事多起疑心，常懷疑別人所說的話是不是諷刺自己？別人所做的事會不會對自己不利？像這種人，就是把「人事」當「是非」，會生活得很痛苦。

【人痛如己痛】

要突破小範圍的愛，將愛心普及一切眾生，視眾生的苦痛如自己的苦痛，這才是佛教所倡導的愛。

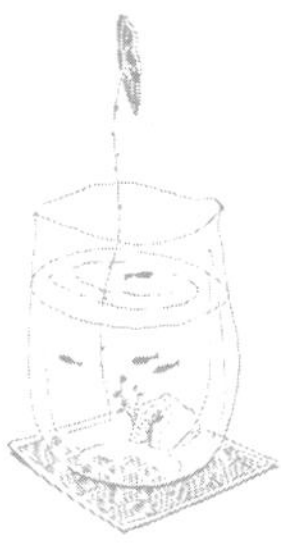

【化小愛爲大愛】

愛本來就無窮無盡，擴大可以利益天下，增長慧命；縮小則成自私自利，增長惡業。

【點亮心光】

一個人要先點亮自己的心光，才能引發別人的心光。人要真誠苦幹才能領導別人，而非光靠能幹。待人要以寬大的心胸去接納、包容——發廣大心，普愛一切眾生，使周遭都籠罩在大愛的氛圍中。

【清淨的法愛】

佛法要人間化，必須先淨化人間；要淨化人間，必須先身體力行淨化自己。如何淨化呢？就是培養清淨的法愛。所謂的「法愛」，就是對普天下眾生，都能心生敬愛、覺情，而且愛得無所求、愛得很普遍。

【普愛天下】

以佛陀普愛天下眾生之心為己心。佛陀能為一切眾生犧牲，我們也能為濟助眾生的志業不惜辛勞付出。

【缺愛症】

現今社會有一種通病——「缺愛症」。大家若能先由自我做起，充足自己的愛心，然後互相付出，將這分愛充足於社會，社會就能祥和。

【太太的責任】

愛心、慈心、悲心是女性的優點，如何引導先生做好事、走好路，是做太太的責任。

【不要執著小愛】

有些人的愛只執著於自己的眷屬，倘若眷屬不能符合自己的要求，就容易產生怨恨。

【痛苦的根源】

凡夫的愛欲及渴望永無止境。不斷地追求物質享受與聲色逸樂，有如洶湧的波濤，一波未平，一波又起！這就是人生痛苦的根源。

【愛河千尺浪】

愛河千尺浪，苦海萬重波！求不得是苦；求得之後仍不滿足，經不起愛欲的鼓動及外界的誘惑，繼續永無盡期地渴求，以致人生痛苦難耐！

【建立家庭倫理】

臺灣的離婚率逐年不斷攀升，衍生不少社會問題。希望人人都能先由自身建立正常的家庭倫理，再去影響其他的家庭。

【愛其所愛】

在感情發生問題時，要以大愛之心愛其所愛；也要退一步，用寬廣的心接受眼前呈現的一切，這才是有智慧的愛。

【愛人與被愛】

愛人與被愛都是幸福的。但是這分愛必須「清淨無雜染」——付出者無所求，接受者不貪婪；施與受者都無煩惱，彼此皆自在。

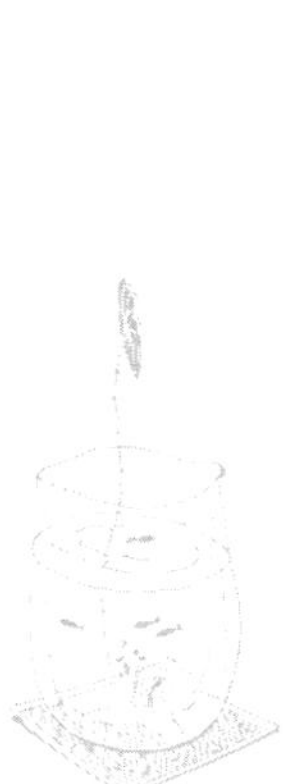

【無色彩的愛】

無色彩的愛——「時」不計長短，「地」不分遠近，「人」不分宗教與種族，只要有苦難，我們看得到、聽得到、做得到，都應盡量去付出，決無希求回報的心念。愛得普遍，愛得透徹，愛得乾淨俐落，就是「無緣大慈，同體大悲」的純淨真愛。

第六篇 愛河千尺浪

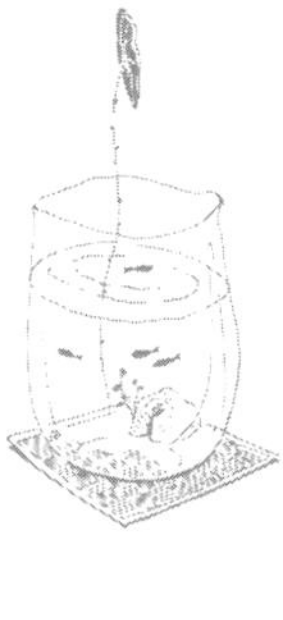

・第七篇・《關於修行》

說一丈不如行一寸

【說一丈不如行一寸】

人有二耳、二眼、一口、雙手、雙腳，此中道理：是要人多聽、多看、少說話、多做事。修行貴在身體力行，說一丈不如行一寸。

【多增一分眞我】

一切的修行法門，如坐禪、念佛等，都是為了收攝心念。「修行」，主要是多改掉一分假我，多增加一分真我。

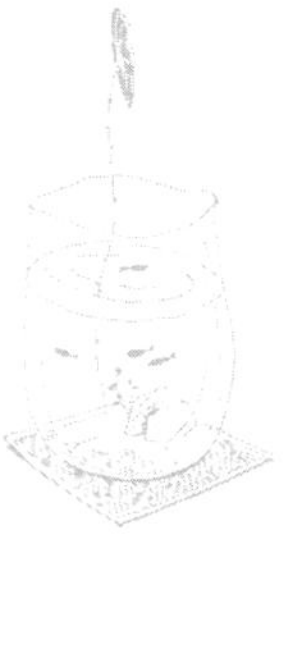

【從自我做起】

想擁有一個清淨的社會並不難，但需先從無數個「我」與「你」開始做起。想要求整體的美，也必須從個體開始；有無數個美的個體，才會有大整體的真善美。同樣的，嚮往生活在菩薩的世界，自己就必須先學習做菩薩。

【修德】

修德——是在日常生活中點點滴滴累積而成，並抱持恆久心，於平常的言行舉止中不離佛法的教育；如此，才是真正的學佛修德。

【知羞恥】

一個人只要有慚愧羞恥心，自然不敢做喪理敗德的事情。所以，修行學佛一定要有慚愧心，知羞恥。

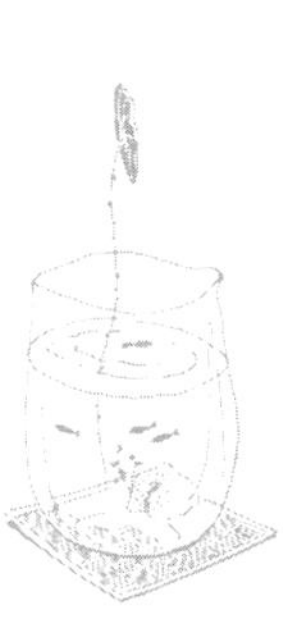

【誠於內，形於外】

一個人的修養如何衡量？應是存誠於內，而形之於外。待人接物、言談舉止……，一切行動都充分表現內在的修養。

【救世先救心】

要救世必須先救心，心誠則身端行正；要家庭和睦，必須先從個人的修養開始做起，然後再以一個和睦的家庭去教化、影響其他的家庭，則家家和睦，社會安詳和樂。

【深思熟慮每句話】

時時刻刻注意自己所說的話，每一句話都要深思熟慮，是否合情、合理、合法？是否能利益眾生，開導人心，使人開解煩惱？

【問心無愧】

修行要抱持一個原則與信念——為佛教、為眾生，行為要光明正大，再大的委屈與打擊也要忍受，凡事做到問心無愧的地步。

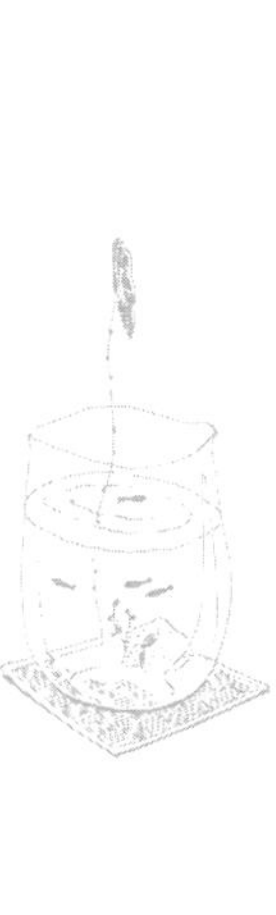

【入群磨練】

人的習性不同，各如其面。修行必須走入人群，和不同習性的人互相磨練、適應，並圓融共處、和睦相待。

【最堅強的人】

行忍辱的人，是一個最堅強的人，任何人與事都擊不倒他；能忍，才能成就天下大事。

【不毀謗同道】

修行除了自度之外，還要度人；時時刻刻培養善根（智慧）、慈悲（福德），絕對不侵犯、毀謗他人，尤其不侵犯、毀謗同道者。

【不傷害別人】

人往往為了愛自己而損害別人，所以佛陀教導我們：修養的第一個條件，就是不去傷害別人。

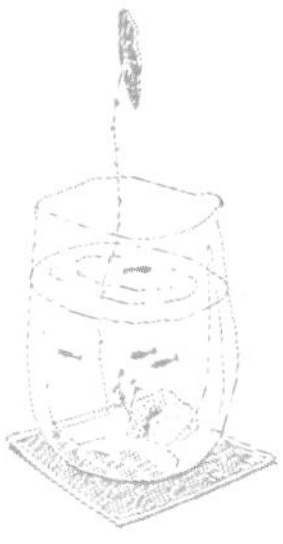

【彼此感恩、行善】

社會是群體的，只有一個人好或只有一個人向善還不夠；希望擁有一個好家庭、好社會，就必須人人行善、彼此感恩。

【個人是社會的起源】

社會形態源自於家庭教育，家庭教育源自於個人的修養。若能先培養好個人修養，進而料理好家庭，社會秩序自然能漸上軌道。

【何謂修行？】

所謂修行，即「修」心養性，端正「行」為，常存慚愧心勤勉精進。如修學而不精進，不知反省自己，就是沒有慚愧心；心無慚愧者，行為必然不端，遑論修心養性？

【福至心靈】

有量就有福，有福心就靈，是謂「福至心靈」。

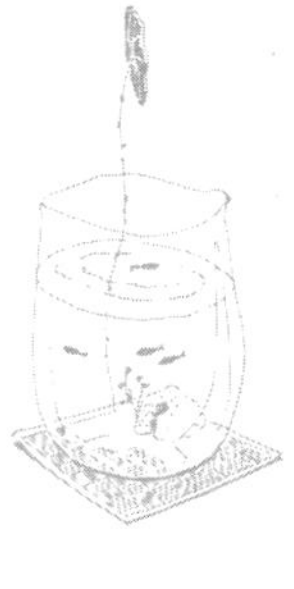

【不要小心眼】

為人處事要小心、細心，但不要「小心眼」！

【步入解脫門】

平常要多調伏自己的心念，培養正確的人生觀。若能降伏「憂煩」的魔軍，看淡世間的利欲，得時不貪著，失時無掛礙，這才是步入解脫門。

【時時尊重他人】

若想在世間成就事業，一定要先成就自己的品德；要成就品德，必須先從「隨時隨地尊重他人」的基礎做起。

【練心】

人生在世，常會接觸複雜的人事；所謂「修行」，就是要藉複雜的「人與事」來練心。

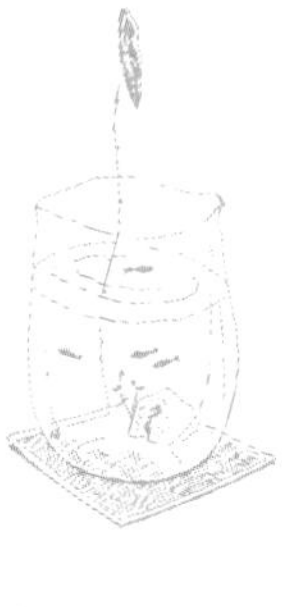

【不散播是非】

無意間的散播是非，雖然沒有傷害別人的身體，但是卻毀壞別人的名譽與形象，這種罪過比傷害別人的身體還嚴重。

【啓發自我覺性】

修行，得靠自己精進地啓發自我靈明的覺性，不能期待不勞而獲的成果。

【以眾人為重】

學佛要注重道與理，關心人及事。能以眾人為重，不計個人得失，在日常人事中自我磨練，以毅力、勇氣突破障礙，才是真正學佛的精神。

【苦修】

苦修，是清心少欲、磨練吃苦的心志。

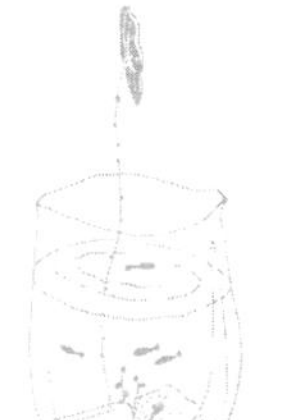

【放棄憂愁惶恐】

人一旦生活在憂愁惶恐中，就很容易喪失自信心而陷入怯懦與逃避的深淵。

【不談神通怪力】

除了對人與事必須信實外，講經說法也要合情合理，不可談神通怪力、聳動人心的言論；如此，才能提高正信的智識水準，引導眾生走向善道。

【修學三要】

修學者三要：一、要有赤子之心——直心是道場。二、要有駱駝的耐力——工作時，要有駱駝般的耐勞和耐力。三、要有獅子的勇猛——努力精進如獅子的威猛。

【同參】

同參，是同修間彼此相互切磋、去除習氣，唯存清淨佛心的意思。

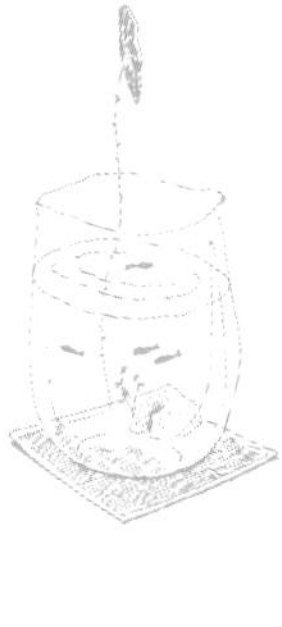

【同道】

同道，是指同修間若有錯誤的行為，可彼此更正、相互惕厲之意。

【聖人無夢】

古人說：「聖人無夢」，是形容聖人並不把夢當一回事，精神不執著於夢境，不理會夢中事，每天睡醒之後就面對現實的生活。

【修行修心】

修行人的心境，要如「鳥過白雲，魚躍水面」般——空中無跡，水面無痕；不為消逝事物而煩惱，心境安然而自在。

【戒、定、慧三學】

戒是不起心動念，守住本分，戒掉一切名聞利養的貪念；「定」是遇到任何困境，都能守持志節、臨危不亂；「慧」是能運心轉境，於平靜中突破重重困難。

【四重德行】

修行者為完成「德行」，日常生活不可離「四重」，即「言重、行重、貌重、厚重」。

「言重」即所說的每一句話，都能鼓勵人心向上，並解開眾生的心結；所以「言重」則「有法」。

「行重」即行儀莊重，舉止有節；是故「行重」則「有德」。

「貌重」即待人接物能剛柔並濟，令人歡喜親近又不致輕浮，亦即孔子所說：「溫而厲，威而不猛。」涵有「溫、良、恭、儉、讓」之威德；故言「貌重」則「溫威並重」。「厚重」即心寬意厚，善解人意，常懷歡喜心，樂於利益人群；所以「厚重」則「人人皆歡喜」。

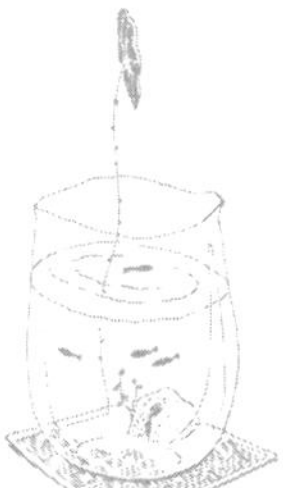

・第八篇・《關於錢財》

理財之道

【善用錢財】

錢會害人，但是錢也會救人。我們要好好利用錢去救人，不要被錢所利用。有錢有勢的人，若不知節制欲望則煩惱無量；若不將名利看淡，精神生活必然空虛無所依止且苦患無量。

【財欲是禍水】

世間人為了財物，造作無量罪業，所以有句話說：「財欲是禍水。」學佛應認清：世間財物只是給予人們資生而非典藏，要能提起慈悲心、歡喜心、勇猛心而行善喜捨布施。

【理財四分法】

佛陀曾教我們理財四分法：一、四分之一奉養父母，二、四分之一教育子女，三、四分之一用於家庭，四、四分之一投入社會公益事業。

【坦誠相待】

多數人為了追求名利，往往對人都不坦誠，諂曲逢迎、處處巴結；人若不能坦誠相待，是件多麼痛苦的事啊！想去除這些痛苦，就必須把得失心轉為誠實心，坦然地取諸社會並用諸社會——從社會取得有意義的錢財，為社會做有意義的事；如此，光明磊落而坦坦蕩蕩，不是更快樂而自在嗎？

【布施就是修福】

布施就是修福。錢財，若捨不得用而存在金庫做守財奴，就與窮人沒有兩樣；但是如果用得不當也會有害身心，甚至禍國殃民。若能用在有意義的地方，則是修福積德的大好機會。

【身外之物如火】

身外之物如「火」。天寒地凍時，近火雖可取暖，但太靠近卻很危險；若看不開、放不下，猶如手拿燒紅熱鐵，必然被燙傷。世間名利又好比白雪，看起來很美，喝起來也很清涼，但握久了手也會凍傷。眾生顛倒，明知財物、名利傷人身心，卻仍甘於被傷害。

第八篇 理財之道

・第九篇・《關於學佛》

在黑暗中點一盞燈

【培養慈悲】

學佛，最重要的是培養慈悲心。若失去了慈悲心，就是失去佛教的精神。

【反省過失】

常能反省自己而無過失，即得解脫自在。

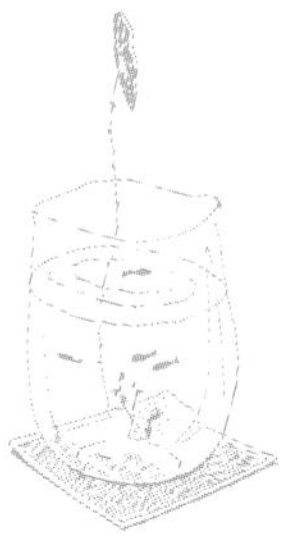

【拜佛要學佛】

信佛而不學佛，就是迷信；拜佛而不學佛，就是愚行。

【做好人間事】

學佛的人，應正視「生」與「死」。把握做人的機會做好人間事，則家庭和樂，社會安寧。人和地吉，就能免除天災人禍，達到消災延壽、福祿綿長的境界。

【端正見解】

端正自我的見解，需用正確的理智、思想透視人生無常的道理。不管是貧、是富，也不管人間物質的貴賤增減都沒有得失心，皆能安然自在，這就是「學佛的正見」。

【用佛心看人】

學佛的修養，是要每個人保持平等心，看見任何人都能起歡喜心。用佛心看人，人人都是佛。

【天天潔淨心地】

過年前，人人會將屋子內外整理、粉刷得煥然一新。做人也要時時刻刻把壞的淘汰掉，讓心地天天清新潔淨。而學佛的人，更要心如過年一樣，日日除舊布新。

【受法】

聽法後，能在日常生活中身體力行，謂之「受法」。

【愛心是福種】

佛教談因果福報，但並非有錢才能造福；若能時時體念佛心、觀照自己，並以一分親切的愛心去關懷別人，這分愛心便是造福的種子。

【啓發自我】

人若能啓發自我的本性與天職，自然做任何事都會覺得輕鬆而無怨言。

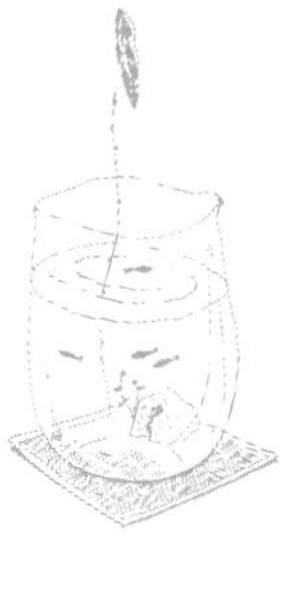

【人心與佛性】

心與性是一樣的，於佛稱為「性」，於人叫做「心」。譬如一杯白開水叫「水」，加上茶葉就叫「茶」，加上咖啡則叫「咖啡」。其實同樣是一杯水，但咖啡與茶都是水「以外的東西」。

【化解煩惱】

學佛，就是要善加化解煩惱，以及善解別人的不悅與刻意傷害。

【何謂功德無量？】

佛教徒常說「功德無量」，是指對該做的事從不計較，無限量地做、及時地做，而且不求回報，此即真正無量的大福報，亦即所謂的「功德無量」。

【時間累積功德】

學佛一定要從最基本、自己做得到的功夫做起，不要錯過時機。功德是由時間累積而成，「路」愈早走愈早到達，「德」愈早修愈早完成。

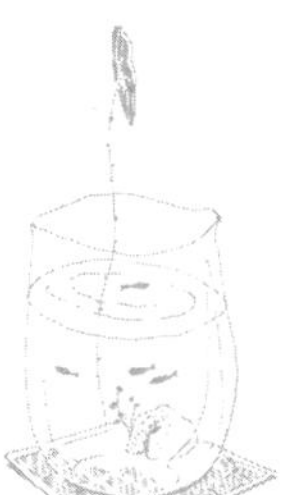

【注重實行】

學佛所注重的不只是理論、學問，還要能身體力行。

【不能逃避責任】

逃避責任，尋求一生的清閒，就無法延續自己的慧命。

【選擇要正確】

心一定要專，選擇必定要正確；若朝三暮四，時時從頭開始，將永遠停留在原地而跨不出一步。

【道心不可斷】

學佛者，道心不可斷。道心斷，明燈暗；明燈暗，智慧失，就會招來障礙道業的因。修行人當看好心念，莫讓外境滅了心中的明燈。

【爲需要的人付出】

人生若能被人需要，能擁有一分功能為人付出，就是最幸福的人生。

【合群和睦】

要和睦人間、合群人生，才是真正的學佛。

【學佛的眞諦】

年輕佛子常耽於文字般若中，若能將所學的文字應用於實相般若，以聲音呼出千眼，以行動引出千手，事理圓融，方是學佛的真諦。

【爲眾生學佛】

學佛是為眾生而學佛，做人是為工作而做人。

【渴愛的奴役】

還未學佛以前，我們經常被「渴愛」所役使，心裡老是有欠缺的感覺；縱使有時好像捕捉到什麼，卻總是無法安定落實。這就好像在乾旱的沙漠裡灑上一滴水，仍舊乾燥如初，絲毫起不了滋潤的作用。如今我們有幸學佛，就要少欲知足，放下物欲的執迷，積極節省有用的時間和精力，充實自己的良能與學養，朝真正有意義的人生正路邁進。

【揚善】

能善意掩蓋他人的不良習氣，弘揚其良好德性，且不評論他人是非，這樣的人一定可愛又可敬。

【守好崗位】

學佛是盡本分，在什麼崗位就做什麼事，不要將人間事想得太渺茫，而忽略了自己身處在人間。

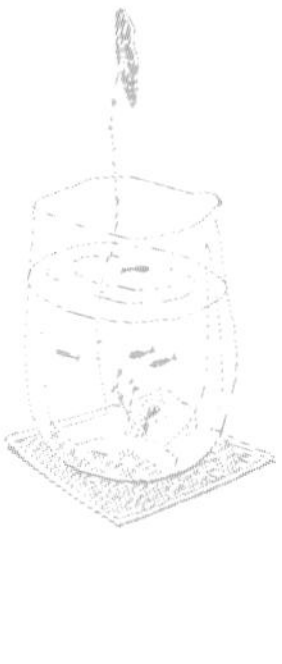

・第十篇・《關於逆境》

在風雨中成長

【感謝天意】

若常常受到挫折，也要感謝天意的磨練。

【接受一切磨練】

我們要接受天下人、事、物的磨練，方能成為一個堅強的偉人。

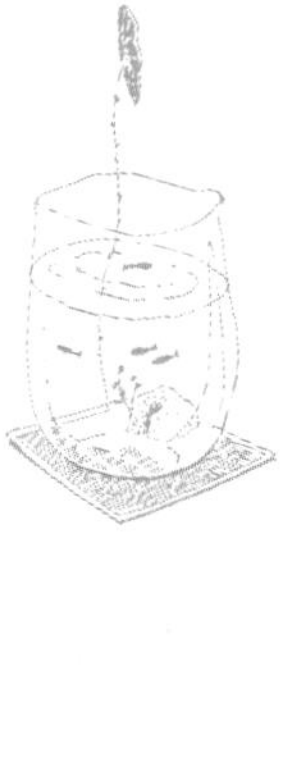

【勿輕言困難】

勿輕言「挫折感、無力感」。縱然困難如石，也要鑽過去；更何況有時所謂的困難，可能只是如紙之薄。

【悔不當初】

極少有人會想到：今日平安健康，明日是否還能行動自如？今日財勢順利，明日有無不測？人常處於「悔不當初……」的懊惱中，想做卻力不從心，後悔又已太遲！此時不僅罪業層層疊疊，甚至到了臨終仍惶惶不知所歸。

【以寬諒代替埋怨】

面對業力不要埋怨，要用寬諒和樂的心來代替埋怨。

【隨緣消舊業】

做任何事，不要受一點小挫折即意志盡失。佛云：「入我門不貧，出我門不富。」只要大家提起佛弟子的勇猛信心，該來的業障都能歡喜接受，則能隨緣消舊業。業報受盡，業障亦會隨時間而消失。

【自殺的罪業】

自殺所犯的罪業有三：一、殺害父母所賜的身體，犯不孝罪。二、造自殺罪業。三、犯遺棄父母、先生（或太太）和孩子的罪。

【另一種福】

人在平安的時候，很容易迷失自己。偶爾有小挫折或坎坷，反而能喚醒良知、長養善根，這何嘗不也是福？

【凡事靠自己】

怎樣才能消業、消災？把自己的本分事做好，歡喜接受所面臨的一切，過一分鐘即消一分災。凡事都得靠自己，福要自己造，業要自己了，而非求佛消災解厄。

【多造善因福果】

人在健康時，應多做善事、利益人群，多造善因福果，為自己鋪好人生健康之道。否則一旦病障現前，身心不得自在時，子媳再孝順也只能盡人事。

【重業輕受】

過去宿業所帶來的業障，如能以歡喜心去接受，就可以重業輕受。

【無愧則心安】

遭受別人批評時，先問自心是否無愧？無愧則心安。

【感恩試練】

若有人扯後腿，要心存感恩。沒有人「扯」，就練不出腿勁。

【藉事練心】

佛教徒不怕做事，而且能積極投入人間服務；在服務的過程中，心靈不被環境所轉，能勇敢突破萬難，難行能行；做到別人不能忍而我能忍，別人不能捨而我能捨的地步，這才是「藉事練心」。

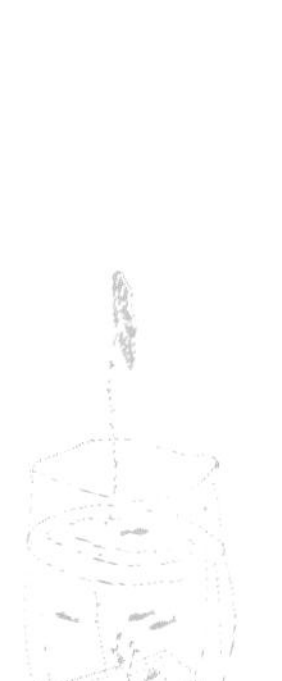

・第十一篇・《不肯走正路》

不殘而廢

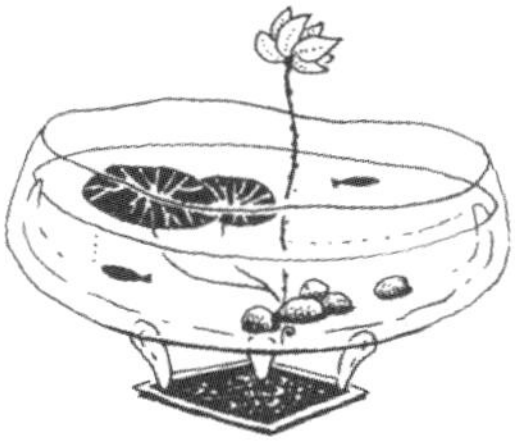

【腳走好路】

一個人如果沒有腳只是一個人不便，要是有雙腳卻不走正路，那不知會害了多少人？毀了多少家庭？

【手做好事】

雙手健全卻不肯做事的人，等於是沒有手的人。

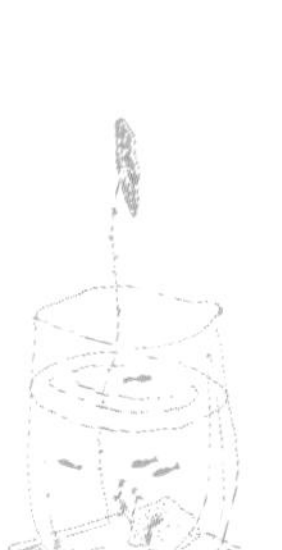

【人要走正路】

人應該走正路。如果正路不走，盡是走歹路，這種人比沒有腳的人還悽慘。

【可怕的心魔】

阻礙他人走正路，或破壞他人發善心、做善事的人，就叫做「魔」。外魔不可怕，最怕的是內心的魔——自己內心起了擾亂，不僅障礙他人，也障礙自己。

第十一篇　不殘而廢

・第十二篇・《積少成多》

粒米成籮

【粒米成籮】

粒米成籮——將一小粒、一小粒的米集合起來，就可積成一籮米；如果因一粒米小而輕視它、漏掉它，怎能積成一籮的米？

【滴水成河】

滴水成河——將一滴滴的雨水集合起來，就可形成一條河。

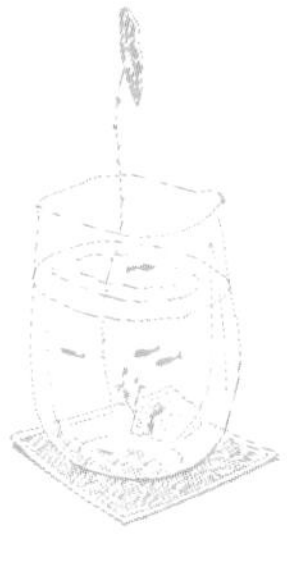

【分毫累積無量】

無量功德是在日積月累中，分毫累積聚集而成。

【人多力大福就大】

人多力大福就大。一支再大的蠟燭，它的光度還是有限；而一支小蠟燭點亮之後，卻可再引燃千萬支蠟燭，這千萬支的燭光就可照亮各個黑暗角落。

【莫輕小善而不爲】

要把握做好事的因緣，一旦因緣消逝，想做就來不及了！有些人雖然想做好事，卻想等到有錢或有機會才去做，應知人生無常啊！只要有因緣，哪怕是一點一滴的力量，也要趕快去做。力量、因緣會合起來，就能成就無量功德。有多少能力就做多少事，莫輕小善而不為，更莫貪積財物而不捨。

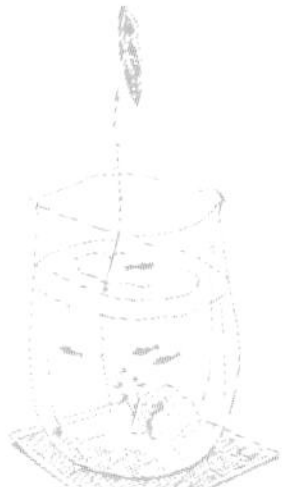

‧第十三篇‧《貪、瞋、癡、慢、疑》

毒蛇陪伴的日子

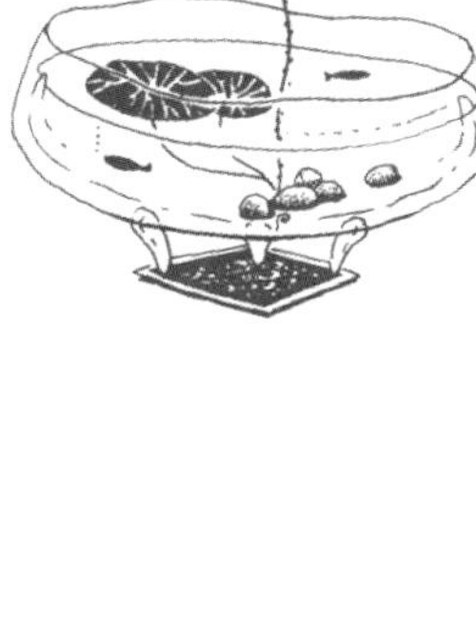

【別讓良知睡著了】

人自身的煩惱，比身外的冤家更厲害！因此，應該常常警惕自己，莫讓良知睡著了。良知一旦睡著，則殺、盜、淫、妄等種種罪業都會發生。

【付出不求回報】

如果有所付出就想有所回報，將會招來煩惱；所以，布施若不是真正心存喜捨，則非但沒有功德，反增煩惱業。

【煩惱像毒蛇】

煩惱就像一條毒蛇睡在人的心中，一旦動了它，蛇就會咬人。修行一定要把心中的愚癡煩惱去除，才能安心修行。

【瞋恚害人】

瞋恚害人，會破壞處世善法。為了一時的不能忍，不僅破壞了處世的好名譽，也會破壞過去一切的功德及修養。瞋怒心比猛火還厲害，猛火燒毀的物質，可以經由努力再失而復得；但一個人的人格如遭自我破壞，即使花再多的錢也買不回來。

【貪之禍害】

人生會遭受天災人禍的痛苦，無不是從貪而來。「貪」不但帶來痛苦，也使人墮落；除了今生此世身敗名裂，也會招致未來的業報。

【眞善無貪】

人之所以虛偽，只因貪欲心起。若能棄除貪欲煩惱，心無雜念，無欲無為，才能得到真「善」和快樂。

【多欲爲苦】

人生多欲為苦！「欲」會誘人墮入煩惱深淵，現代人常被「欲」所牽引而造業——貪求名聞、為名為利而爭，不僅喪失志節，也敗壞名譽。所以，我們要看開物欲，別讓物欲沖昏了良知，埋沒了良能。

【世事無常】

眾生常流轉於愚癡生死中，醉生夢死，只求「現在生」的享受，以致造諸惡業、虛擲時光而毫無警覺。殊不知「明月不常圓，好花不常開，好景不常在」，當念人生「無常」，世事常於瞬間變化，不可耽著眼前的欲樂。

【以他人爲鑑】

把他人拿來作自己的鏡子，看到優點可以自我鞭策，看到缺點則自我反省。

【莫貪無厭足】

凡夫心常常貪無厭足，財產多，還要更多；權勢大，還要更大。既有嬌妻，還想擁有美妾；先生好，還希望他百依百順；孩子乖，還要他樣樣得第一，以光耀門楣。永遠都在名利、物欲、愛情、親情……無止境的追求中——多欲多求，以致苦不堪言！甚至引發犯罪心念，造成犯罪行為。

【提防心賊】

心中無形的風災是「無明」，無形的刀劍是「嫉妒心」，無形的鬼魅是「疑心生暗鬼」，無形的心獄是指「入邪道法」。這些無形的心賊會滅除人之善根，毀盡修行之功德林。

【三毒的破壞】

人生有煩惱，皆源於人心有三毒。毒者，破壞也！世間之所以戰亂相連，國家動盪不安、社會奢靡不振、事業敗落、感情破裂，都是因貪、瞋、癡三毒所引起。

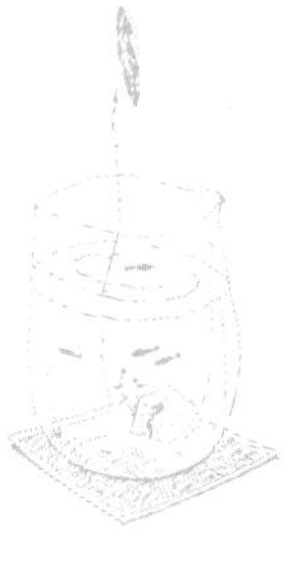

【去除三毒】

佛法很簡單，只要去除貪、瞋、癡三毒，就可以明心見性。眾生煩惱多，所以佛陀才開啓八萬四千法門，對治眾生的八萬四千煩惱。

【偷竊功德的瞋賊】

世間的盜賊偷竊東西，不一定會把東西都偷光。但只要一念瞋心起，心中的「瞋賊」就會把一切功德偷得無影無蹤。

【人生五大病】

人生最大的五種病，是「貪、瞋、癡、慢、疑」。而諸多煩惱及種種罪業，皆因貪著「財、色、名、食、睡」五欲；若能去除五欲，則能啓發良知，開展良能，自度度人，饒益一切眾生。

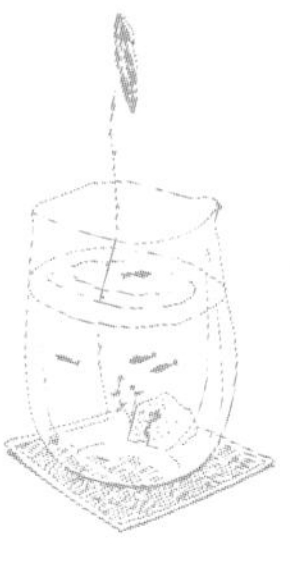

・第十四篇・《忍辱》

心上一把刀

【忍辱】

人若能面對現實，歡喜接受過去生中的善惡業緣，謂之「忍辱」。

【持忍一切好辦】

忍，是幫助你做好事、修好行的最大力量。能持忍者，沒有什麼事辦不到。

【堪忍成就一切】

人生如果不能忍辱，就無法成就事業、學業與道業。修行必定要能堪忍無量的苦，無忍決不會有所成就，是故「忍」為修學佛法的重心。

【心包太虛】

能將山河大地、太虛裡的任何境界都包容於心，而心卻不被境所轉，此即出世的精神。

【眞正的成功】

一個真正成功的人，必須人人都能容得下你，你也能容納每一個人。

【謙虛禮讓】

每個人都有自尊心，但也必須懂得謙虛和禮讓。因為每個人在世間，絕對無法一手撐天。

【事忙而心閒】

如果人人都能「事忙而心閒」，並盡一己之力，投注於人群幸福之道，而且忙時不失道心，閒時不迷本性，就能達到人生快樂的境地。

【護心也護口】

人與人之間相處，難免產生人事上的煩惱；遭遇這些煩惱時必須忍讓，千萬不要起瞋恨心；除了護心，也要護口，不能口出惡言。

【學習聖人心胸】

我們應該學習聖人包容萬物的寬大心胸，心境才能超脫；否則儘管信仰虔誠、禮敬拜佛，終究還是會墮入魔道。

【昇華道德】

道德的昇華，關鍵在於「忍」。假如每個人都有一分忍辱精神，就不會凡事斤斤計較。

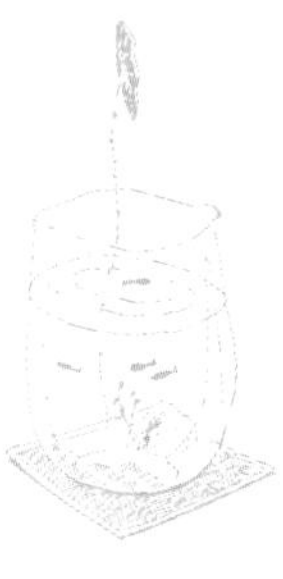

【忍者無難字】

忍字心上一把刀。能忍，就能納受人間一切的缺點——對任何人沒有一點怨恨，做任何事也沒有一個難字。

【無壞不顯好】

受人攻擊或陷害時，千萬別起瞋恨心，反而應起感恩心；因為沒有壞人顯不出好人，沒有苦難的眾生則顯不出菩薩的寬忍愛心。所以，我們應視毒罵、中傷如飲甘露。

第十四篇　心上一把刀

・第十五篇・《談心》

心田不長無明草

【如沐春風】

歡喜心是一種涵養，能令周圍的人都有「如沐春風」的喜悅感。

【自己下功夫】

人心與佛陀一樣，都有同等的愛心；但因後天的習慣及習氣不同，以致有不同的言語行動。所以，修心養性必須自己下功夫。

【滴水穿石】

恆心、毅力能如「滴水穿石」，再大的困難與阻礙都能突破。

【佛性是寶藏】

遺失身外財物並不可惜，可悲的是遺失了內心的寶藏卻還無知覺；人人本有清淨純真的佛性，只因煩惱無明而遮蔽了珍貴的寶藏。

【居安思危】

人人應時時「居安思危」，莫等「危時方思安」。修行人更要時時下功夫，以備四大不調時能安然度過。

【動中的寧靜】

人要學習經得起周圍人事的磨練而心不動搖，並學習在動中保持心的寧靜。

【用「心」聽話】

聽別人說話時，要以說話人的心態聆聽——聽年輕人的話，用年輕人的心態聆聽；聽老年人的話，用老年人的心態聆聽——即得人事圓融。

【安分守己】

佛陀常教導我們：要安分守己，守住清淨無為的心，讓心時時寂靜。心靜自然人安分，人安分就能過著和樂的日子。

【謹慎「用」心】

人心比武器還厲害！因為武器由人心所創造，不管將它用於好或壞的地方，都起源於一顆心。

【調和身心】

想圓滿慈悲、成就智慧，開展濟世與引導人群的力量，必須先從調和自己的身心做起。

【心的動力】

物質富有、地位崇高，都是空虛的架構；真正的富有是心的富有——富有愛、富有慈悲。真正的動力是心力；擁有這分愛心動力作基礎，還有什麼不能改革、不能引導的呢？

【時時心地現光明】

心地若能時時現光明，與人坦誠相待，則不必怖畏人生道路有障礙，也無需擔憂別人是否不利自己。

【繫緣修心】

心不專、念不一，做事難以成就；若想心念專一，就必須收攝雜念，恆持清淨的一念心，這就是「繫緣修心」。

【反觀自照】

人若能時時反觀自照，檢討心念是否貪著名聞利養，久而久之，心靈自可提升到「月至上品諸風靜，心持半偈萬緣空」的境界。

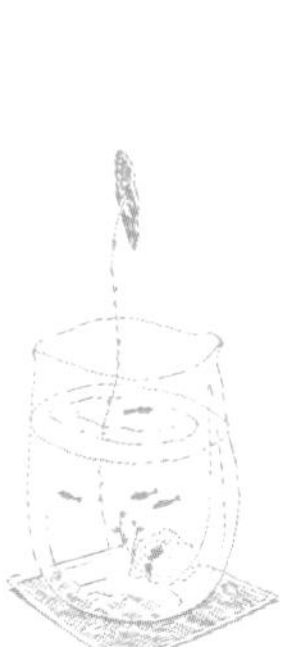

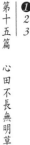

【把是非當教育】

若要常常保持心的快樂，就不要把人事當是非，應把是非當教育，以增進待人處世常識。如果把人事當是非，心將永遠很痛苦。

【心中的淨土】

每個人心中都有一塊淨土——良善本性。若能保持心田明淨無染，則雜草亂麻不生，常開智慧之花，永結菩提善果；如此不僅美化自我人生，也淨化社會人心。

【保護心念】

心淨則國土淨，我們要時常保護心念，不要被貪瞋癡等毒害侵襲；更要積極救護世界，不要讓暴力充斥社會，讓災難破壞家園、污染大地。

【心賊害人害己】

極兇大惡，莫過於自我心中的煩惱賊；它常在我們毫無防備之下，毀了自己，也毀了別人。

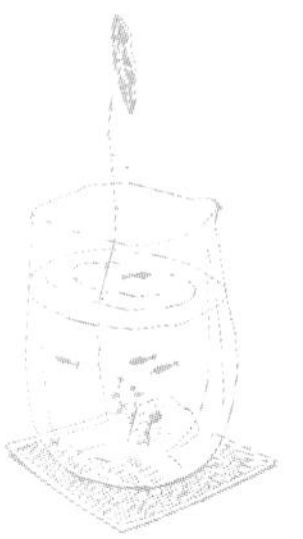

【健康人心】

解除人間的災難，一定要從改善人心做起；想救世，必先從人心救起。人心健康，則社會、國家，甚至天下都能調順；人民和樂，世界自然就能太平。

【化瞋恨爲愛】

佛陀一再教誡我們：要好好調節自心，把瞋恨、怨嫌之心轉化為愛心、寬心，時時刻刻寬恕別人，發揮愛念。

【用慈施悲】

把貪念轉為滿足，把滿足化作慈悲；如此，不但能自我滿足，還可發揮「用慈施悲」的愛心。

【寶藏的琢磨】

每個人的內心都有一處寶藏，與佛陀無異。只是佛陀的礦山寶藏經過長期挖掘，已得寶石且不斷提煉琢磨，成就了很多發亮發光的玉石寶物；而凡夫的礦山雖已開採，卻尚未加以琢磨。

【擴展長情於未來】

時時以清淨解脫的愛心，秉承過去生所播下的遠因，成就現在的近緣，更擴展長情於未來。

129

第十五篇　心田不長無明草

・第十六篇・《家庭、倫理》

這本經一定要念

【重視心靈溝通】

一個家庭不能只是追求豐富的物質生活，更該著重於心靈溝通，使親子、夫妻之間的關係和諧、圓滿。

【讓子女做自己】

為人父母者，只能盡養育之責，而無法要求子女依照父母給予的模式成長。

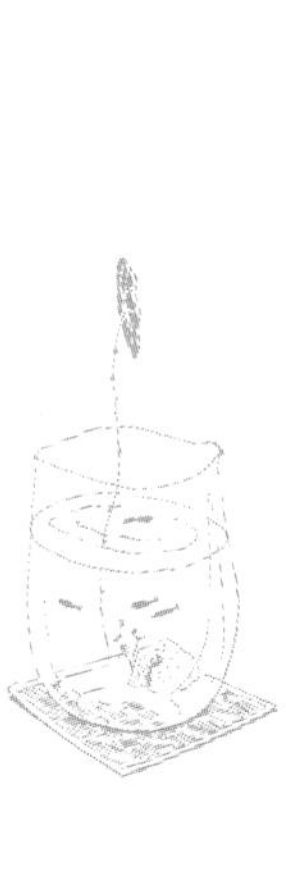

【珍惜天倫樂】

鳥要有巢，人要有家，如果夫妻子女各居一方，何來天倫之樂？

【爲人妻的責任】

為人妻者，對外應鼓勵丈夫於飽暖之餘多做善事，多體念貧窮人家的困境；對內應將心比心孝敬老邁公婆，並在公婆、丈夫間努力多方圓融，這是為人妻者的責任。

【言行身教】

夫妻間相處的言行，對子女不僅是直接的身教，也將是子女們的處世範本。

【注重禮儀】

真正的佛教家庭注重禮儀，禮儀是人生至真最美的形態。

【人人互愛】

與

人相處要去除我執，擴大心胸，客客氣氣，互讓互愛。

【無條件地奉獻】

愛

不是要求對方，而是要由自身付出，無條件地奉獻，做到事事圓滿。

【人生多病】

人生多病！身體四大不調是病，家人吵嚷不和是病，社會動盪不安也是病。

【四大假合的壞滅】

身軀乃「地水火風」四大假合，既為物質的組合，壞滅（病死）是正常的現象。然而肉體可能是單薄虛弱的，精神卻可以強壯康健。

【家庭和諧之樂】

家庭和諧，即使物質貧乏，仍是富在天倫之樂中；否則再多的錢財，也抵不過家庭失和的苦惱和缺憾。

【移民如換水土】

移民好比將一棵土生土長、枝椏正茂盛的樹木移植他處，除了得適應新的水土外，還必須面對新的節氣時序；而且能否如在故土般成長茁壯，仍是個未知數！

【國家是自己的家】

移民是消極、逃避的行為，如果把移民的心思，轉而運用於積極改善目前的社會環境——人人發揮菩薩精神，將國家當作一個大家庭，以對待自己的家一樣來關心、整理和照顧；如此，何愁國家、社會生活品質不能提升？

【天天祝福】

想要家庭吉祥、和睦，就應該常常起歡喜心，天天為自己的家庭祝福。

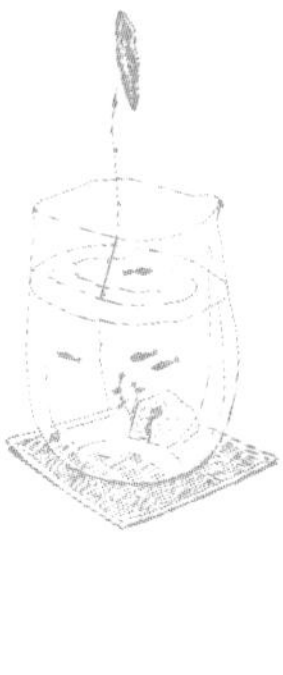

・第十七篇・《清淨大愛》

人生進行曲

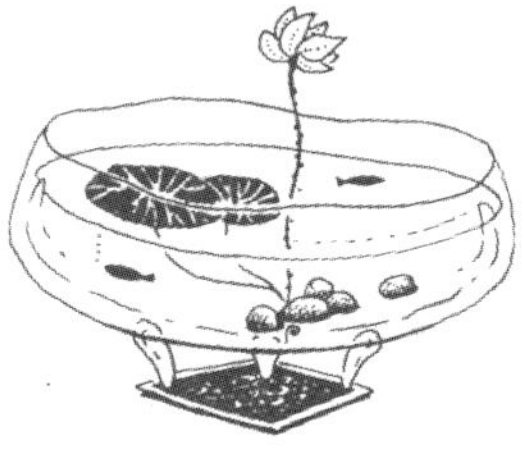

【眾生與人生】

人若能發揮功能，才是「人生」；若沒有發揮功能，就是「眾生」。「眾生」才需要「佛」救濟，「人生」就能自救救人。

【顛倒眾生】

知道反省過去，才是正確的人生；若只是隨著日子消逝而紙醉金迷，就叫做「顛倒眾生」。

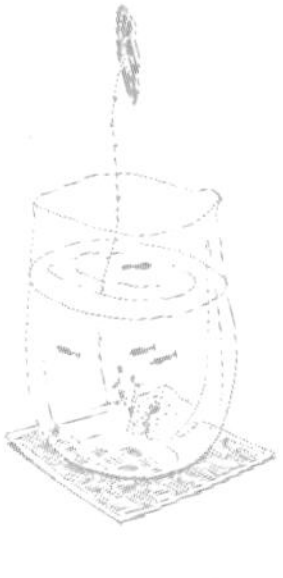

【自動自發】

誠是發自內心、自動自發的精神。若有這分自動自發的精神，人生再辛勞都不會覺得苦。

【造福人群】

人生在世，不能無所事事、懵懵懂懂而虛度一生，應發揮我們的良知良能，以佛菩薩的精神造福人群。

【退一步海闊天空】

人活在世間，不能脫離人群。有人就有是非，有是非就會有困境，這些都必須一一克服。要克服難關就必須忍讓，所謂「退一步海闊天空」，就是菩薩寬闊寧靜的境地。

【平凡則平安】

做人要有一分平常心，一分平凡的念。如果大家都自覺平凡，人生就平安了。

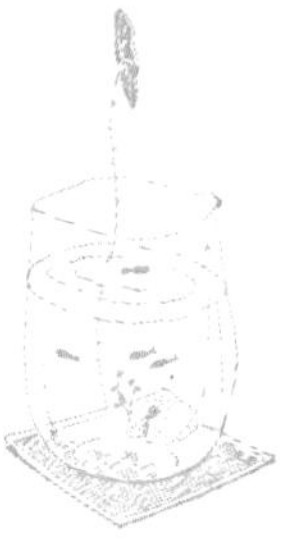

【發揮生命價值】

如果一個人只為自己的生活及愛欲而追求，這種生命輕如鴻毛！反之，若能發揮生命力，積極造福人群，這種生命價值則重如泰山。

【莫虛度光陰】

人一旦無所事事、虛度光陰，精神就會委靡不振，生命也就失去意義。

【一紗一線來之不易】

天下事，光靠一個人做不成。人生在世，必須依靠別人才能生存。比如穿的衣服，我們是否自己能做呢？即使能，也需要布啊！自己會織布嗎？縱使會，原料的來源自己可以生產嗎？……總而言之，一條紗、一條線都是來自眾生；所以，我們要時時抱持感恩心和惜福心，因為一切都得之不易啊！

【活在天地間】

生活在天地之間，若只是隨波逐流，讓身軀隨著時間而生老病死，這是沒有意義的人生。所以，我們應配合社會環境的教育及古今聖賢的引導，好好探究人生意義何在及「生從何來，死往何去」的問題。

【積極上進】

懈怠的人容易墮落；因此，人生必須上進積極，不要因境遇的得失而喪失生存鬥志。

【快樂地過日子】

人的生、老、病、死是很正常的事，與其煩惱它，何不每天快樂地過日子？

【無所事事忙】

吃飽飯沒事做的人，固然不快樂；忙著應酬、打麻將、觀光旅遊，一副「無所事事忙」的人，在飽樂之餘的疲倦與空虛，又何嘗稱得上快樂？

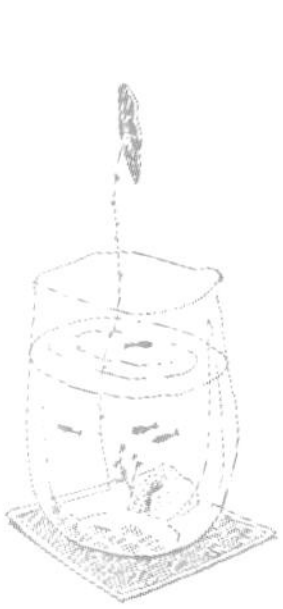

【勿以口舌敗德】

不可為了自身的利益，而用甜蜜的口舌迷惑他人，以免到頭來落得傷身敗德，害了他人也害了自己。

【時時自我警惕】

人時時刻刻都處在無常的流動中，也經常處在無明的風雨交加中；唯有時時自我警惕，才能安度人生之險境。

【如何美滿人生？】

美滿的人生，不在物質、權勢、名利及地位，而在人與人之間的關愛與情誼。

【看開與知足】

所謂看開人生，不是悲觀，而是積極樂觀；不是看破，而是看透；並非什麼都不做，而是能及時行善；也不是什麼都沒有，而是什麼都知足！

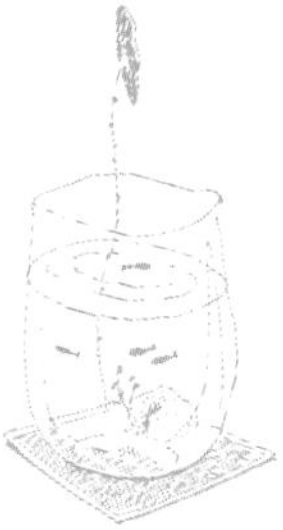

【踏實的付出】

人生最踏實的事，是今日此時有多少力量就儘快付出——利益人群、造福社會。

【忙得好快樂】

肯付出心力為別人服務的人，因抱持義務的精神，而能心甘情願、任勞任怨；儘管再怎麼忙碌，心中也會感到無限快樂和喜悅。

【人生不能沒有愛】

人生若欠缺愛，日子將了無生趣，毫無意義。如果有了愛，卻只局限於染著的小愛，則容易損人毀己，造成傷害。所以，應該發揮無色彩的清淨大愛，讓自己愛得歡喜，讓被愛的人自在、沒有壓力。

【別人快樂，我就快樂】

能以他人的快樂為自己的快樂，是最滿足、最富有的人生。

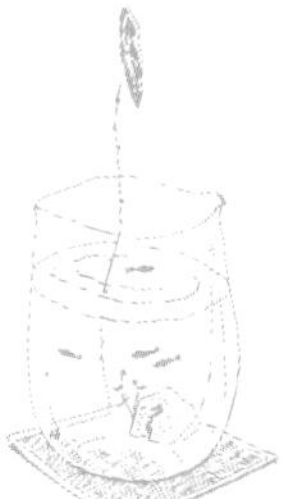

【智慧與謙虛】

人生的真善美，是從我們的形態中表現出來。形態的修養能美化人生，例如：慈心不能缺乏親善的態度，智慧不能缺乏謙虛的涵養；有智慧才能分辨善惡邪正，能謙虛則能建立美滿的人生。所以，智慧與謙虛一定要平行，二者不可或缺。

【化煩惱爲清涼悲心】

人生猶如一場戲，種種的人事煩惱不要執著於心，要隨幕啓幕落而消逝。若能時時清除內心的煩惱，將其化為一片清涼的悲心，此即菩薩的智慧。

【有愛的人最幸福】

人生如舞臺，有人一生勞苦，有人先苦後甘，也有人先甘後苦，如何論斷誰最幸福呢？只有充滿愛心的人最幸福！

·第十八篇·《服務、責任與感恩》

都是大家的努力

【人命短暫】

人的生命短暫，但時空卻是天長地久。幾千年來人事的變動頻仍，只因人的欲求不斷！

【但願眾生得離苦】

為了願心與歡喜心而服務人群的人，能不惜承擔重任，不畏辛苦地勇往直前！只要眾生能離苦得救，就滿心歡喜，別無所求。

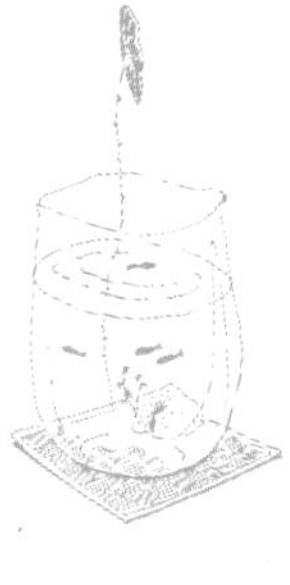

【只要有心】

人要培養堅強獨立的性格，不要有依賴性；負擔雖重，只要有心，沒有挑不起的擔子。

【在職盡責】

有修養的人「在職盡責」——不計較時間，肯盡自己的責任做好本分事。

【有責任感】

人生因為有責任而踏實，若逃避責任就是虛度人生。

【最難能可貴】

人最難能可貴的是：擁有一分力量，負起一切責任。

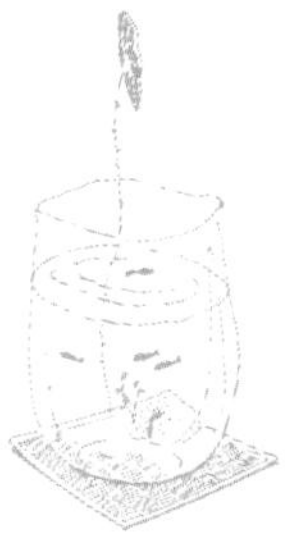

【莫貪求清閒】

不要因貪求清閒，而希求減輕責任；應該增強自己的力量，擔當更重大的責任。

【不患得不患失】

最平淡的日子，心裡最安定。因為沒有患得之心，所以沒有患失之苦。

【大眾的互助】

一個人若能時常抱持感恩心，好好思考日常生活的來源，就會知道：人人都需要靠社會大眾的幫助，才能維持生活。所以，要「取諸社會，用諸社會」，多幫助別人。

【感恩受施者】

有缺乏的人，才能顯出知足者的人格；有需求的人，才能顯出無所求者的偉大。所以，應該時時感恩那些接受我們布施的人。

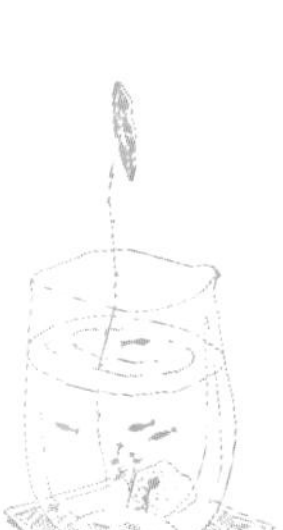

【苦空無常的示現】

要感謝被救的人，讓我們有行菩薩道的機會，因為他們示現了「苦空無常」的人生。所以，生活安穩、四肢健全的我們，怎能不好好把握人生，充分發揮生命的良能？

【眞正的布施】

真正的布施，除了無欲無求外，還要有一分感恩心。布施，並不是要求得對方的感謝，而是要以感恩心感謝對方讓我們有付出的機會。

第十八篇　都是大家的努力

・第十九篇・《信心、毅力與勇氣》

精神的抗體

【逆流而上】

在逆流中要有毅力，不要隨波逐流、旋轉而去。

【只怕不肯做】

勇氣不可失，信心不可無，世間沒有不能與無能的事，只怕——不肯。

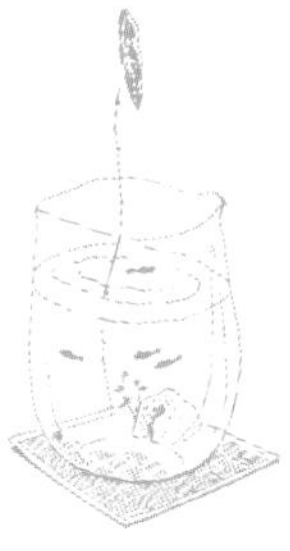

【苦幹的精神】

苦幹象徵毅力和耐力，要成就大業，必須擁有苦幹的精神。

【精神的抗體】

我們的精神一定要有抗體才能免疫，也才不致被外在的環境或人事所左右，這個抗體就是定力。

【充足精神文化】

人生若精神文化充足富有，縱使物質生活平淡，也會感到樂在其中。

【淨化心靈】

在經濟富有、政治自由時，更要提升精神文化，讓人人的心靈淨化。

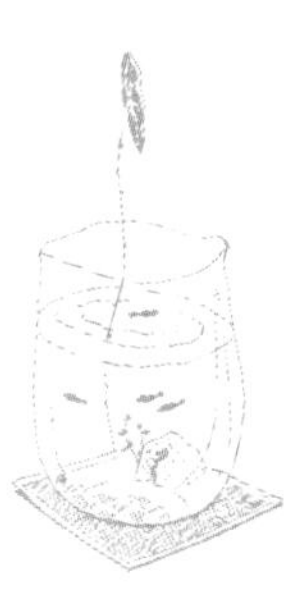

【毅力】

不管路有多遠、自己能力有多少，都能隨分隨力盡量去達成目標，此即「毅力」。

【降伏憂愁、欲念】

學佛必須培養正信，對自己要有充分的信心，並拿出勇氣降伏憂愁、欲念，才能獲得輕安和解脫。

【多疑是障礙】

人若對自己有疑，就容易墮落沈淪，迷失人生的方向；若對他人有疑，就很難與人廣結善緣，共同成就有意義的事業。

【靜時養氣，動時練神】

有句話說：「靜時養氣，動時練神。」靜的時候練氣，可以磨練我們的氣質與品德；動的時候則要專一精神，將心念統攝為一。

【勇敢面對現實】

心性軟弱，缺乏勇氣、信心面對現實的人，容易被人事問題所困擾而渾渾噩噩虛度一生！

【信佛的目的】

信佛不是要求財勢名利，而是要使人人對自己有信心，培養毅力，發揮勇氣，訓練自己莊敬自強，不依賴他人。

【觀機逗教】

發心行菩薩道教化眾生，使不仁慈的人起慈悲心，使嫉妒的人起歡喜心，使慳貪的人起布施心，甚至使造十惡業的人也能悔改、行十善法；這樣的發心和行持就是菩薩！

・第二十篇・《吉祥、幸福、快樂》

常常汲取井水

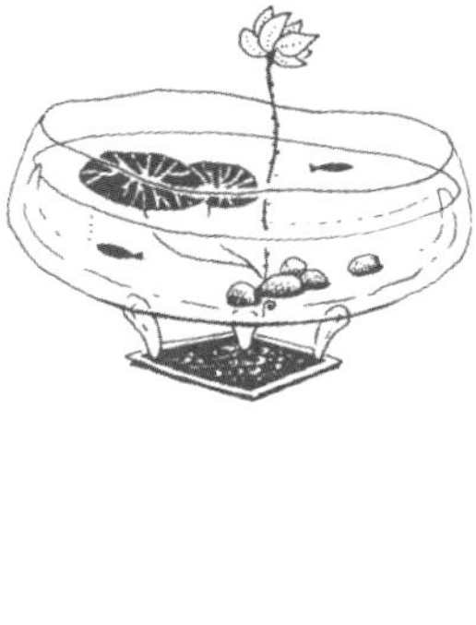

【成就福業有四法】

成就福業有四種方法：恆行法施、起大悲心、度化有情、忍辱定靜。

【付出就是收穫】

付出其實就是最大的收穫，因為能施與的人，比受施的人更幸福。

【植福修慧】

人應擴大愛心，於富中修慧，使福慧平行齊進，並取諸社會、用諸社會，即是植福修慧。

【溫馨的人間】

布施者，心靈上常得到安詳和快樂的感受；受施者則不僅生活上得到飽暖，心靈也會感受到人間的溫馨。

【吉祥就是福】

吉祥，就是一切災患惡事不近身，凡事都能大事化小、小事化無；吉祥就是福。

【安詳是幸福的代名詞】

富有並不代表幸福，真正的幸福是「安詳」。

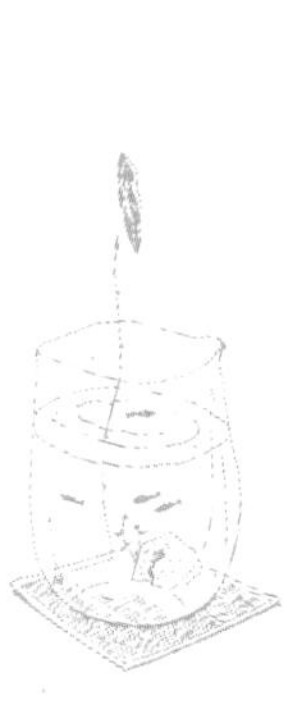

【何必計較？】

世間無常，國土危脆，人生何必錙銖計較？其實，心安即是福，當下能做即是福，眼前歡喜即是福。

【心寬就是福】

對別人能多原諒一分、多讓一分，就能得到十分的福。所以說：「心寬就是福。」

【常常汲取井水】

汲取井水時，不管汲取多少，井中之水依然不減；但是，井水也不會因不汲取而增高水位。布施就好比汲取井水，唯有不斷地布施，才能造福、增福；否則，福亦不增。

【點滴有大用】

能幫助別人，能為社會盡一分力，即使一點一滴都有大用；因為有一分心，就有一分力量。

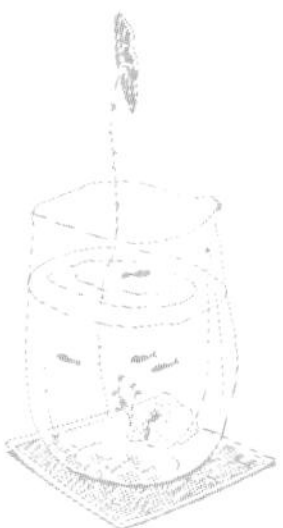

【幸福感】

能利用時間，多發揮生命功能，利益一切眾生，就會覺得生命更踏實、更有意義，此即幸福感。

【常感心滿意足】

每個人都希望過得幸福快樂，但幸福與快樂並非用物質來衡量，而是一種精神上的感受。若能常心滿意足，就是最幸福的人！

【心量開闊】

知足的人，心量開闊；心量開闊，對人對事就不會計較。

【健康就是福】

病是人生最痛苦、也最無可奈何的事。有句話說：「英雄最怕病來磨！」一旦身體不健康，即使擁有再多的錢、再高的地位都沒有用；所以，身體健康就是福。

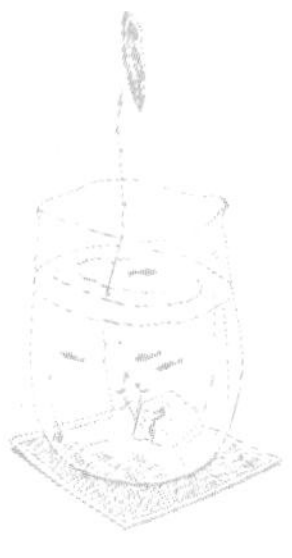

・第二十一篇・《慈悲與智慧》

心靈的解脫

【苦惱的眾生】

在苦惱的眾生中，能起勇猛精進心、慈悲心、喜捨心去救助苦難的人，才能獲得心靈上的快樂和永恆的解脫。

【得清涼快樂】

願我們的慈悲心永恆地散布到每一角落，使眾生如沐浴在溫和明亮的月光下，得到真正的清涼快樂！

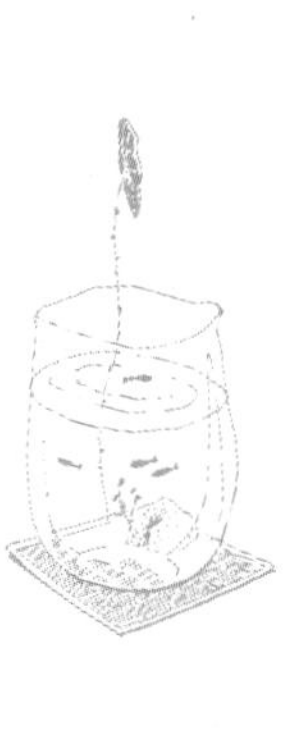

【柔和的風度】

有慈悲心的人，就會有柔和的風度；慈悲柔和可以化解人的煩惱。

【佛能我亦能】

不要輕視己靈，我們與佛有同等的智慧、同等的慈悲大愛，佛能我亦能。

【和睦愛人】

慈悲——以仁德愛人為體，以誠正和睦為用。

【散布快樂】

時時保持快樂的心境，把快樂的氣氛散布給四周的人，此即「慈」；眾生有苦難能及時為其拔除，此即「悲」。

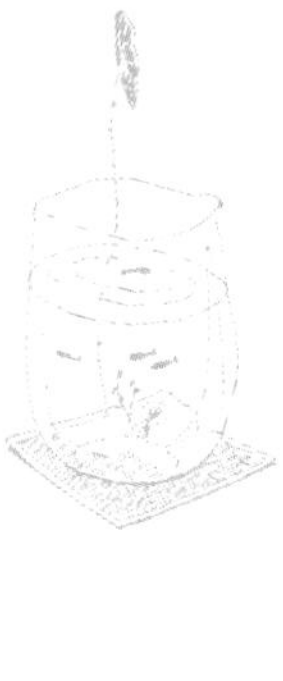

癡

【心光除癡暗】

迷的感情，會使心地黑暗；以智慧點亮心光，就能去除種種癡暗。

修

【由定生慧】

習佛法並非學聰明，而是要開智慧。智慧由定而生，若能心專念一，從事入理，即能產生智慧。

【利人之利】

仁慈、善良的人，以樂人之樂為樂、利人之利為利，此即真正的智慧；如果以利己之利為利，則只是聰明而非智慧。

【溫和輕柔的說話】

講話要溫和輕柔，態度要謙誠親切，才能使人身心感到溫馨而和樂。

【如何消除熱惱？】

聰明的人，心地常充滿熱惱，必須用智慧淨水沖洗，才能透徹清涼！

第二十一篇　心靈的解脫

・第二十二篇・《少欲知足》

灑一滴甘露

【用心對待別人】

人應該摒除「自己不如人」的心念，用心於如何對待別人、幫助別人，才是真正少欲知足、快樂的人生。

【爲物所役】

世間的物質本來是為人所用，但不知足者因欠缺智慧，竟淪為「被物所用」。

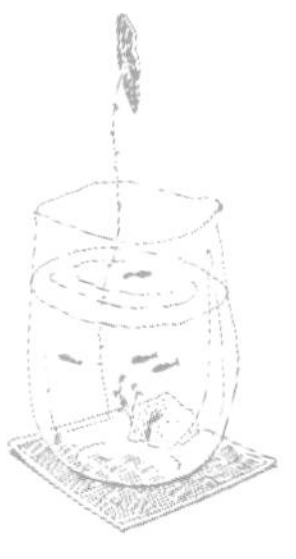

【莫要求別人】

人生有求即多苦！如果只是一味地要求他人，會為自己招來無窮的痛苦。

【甘露法水的滋潤】

人心的欲念，好比被太陽照射的沙漠一樣——乾燥飢渴；而佛法恰似甘露法水，時時滋潤眾生乾涸的心田。

【減低欲望】

人生若能減低欲望，生活上便沒有什麼值得計較！

【學佛的第一步】

學佛的第一步是要少欲知足，使心靈安住，智慧增長。

【虛實用心觀】

觀察一個人，若看他經常衣著樸素、整齊，並常保持身體的潔淨，就可以斷定他的人生是踏實的。反之，若經常變換服裝款式，並以此炫耀自豪，此人一定極為虛榮，內心的欲望永無止境。

【苦惱的根源】

無限的愛欲與情欲，是人生苦惱的根源。要去除這些苦惱，唯有──「知足」。

【自我滿足最安穩】

人常不滿足，即使擁有了一分，還會想要更多一點。愛欲心若無法滿足，就會一直處於欠缺中；如果能自我滿足，就會處於安穩、快樂的環境。

【感恩自己所擁有】

做人應該時時感恩已擁有的一切，勤儉自持，發揮良能為社會付出；有錢出錢，有力出力，這就是無量的福慧功德。

【如何富樂安穩？】

知足，生活才會富樂安穩。

【心靈富有的人】

不知足的人，即使再怎麼富有也常感缺乏，與貧困的人相差不了多少；而貧苦的人雖然物質缺乏，但如果知足，他的心靈也會很富有。

【奉獻愛心】

知足的人，即使只有一分力量，也可以發揮一分功能，為人群奉獻愛心。

【最美的笑容】

病人愉悅的笑容最美麗動人，猶似烏雲散盡後的熙日陽光，那分燦然，能使家屬親人、醫師、護士安心寬懷。

・第二十三篇・《「我」怎麼說？》

千錘百鍊之後

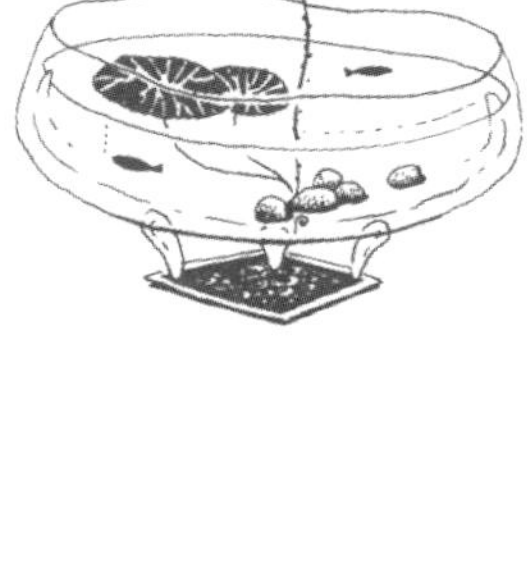

【將不可能轉爲可能】

無法要求他人把「不可能」的事變成「可能」；但是可以自我要求，將「不可能」的事轉為「可能」。

【個性】

人的個性，不要像山上剛炸碎的石頭，每個角度都銳利而刺人，要如海灘小圓石的光滑，讓人摸了很舒服。

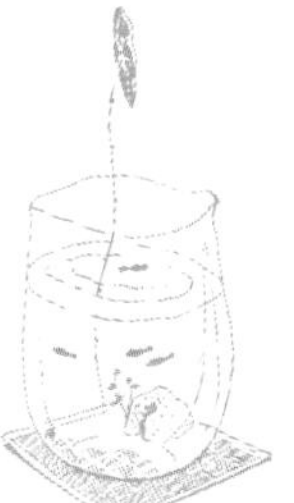

【精明地對待自己】

能大智若愚地對待他人，才可免除計較而自在；能精明地對待自己，才能把握時日和人生。

【一根小螺絲釘】

做人固然不應將自我看得太重，但也不要自輕己靈。即使自己只是一根小螺絲釘，也要注意有沒有鎖上、鎖緊，以便充分發揮功能。

【將「我」看淡些】

人都因為有一個「我」作中心，才有病態、有麻煩，所以要將「我」看淡些。

【勿隨順逆起伏】

人常會受到周圍環境影響而起心動念，接觸順境時，就高興地得意忘形；遇到逆境則煩惱悲泣，這都是心隨境轉，被境界所牽制而喜怒無常、起伏不安。

【愛心有沒有發揮？】

我們應該常常反省自己：我有愛心，但是有沒有發揮出來呢？我的言語行動是否有失檢點呢？如能常常檢討、反省，不讓行為、觀念有所偏差，就絕對不會發生缺失過錯。

【方便的智慧】

欲使眾生離苦得樂，必須以「智慧」為中心，以「方便」為工具。

【我是誰？】

人往往不知道自謙，懂了一點點，就認為自己很了不起，起心動念沒有一刻離開「我」，凡事以「我」為中心，自認「我」說得比你有道理、「我」做得比你好，時時把「我」填滿了自心。

若將「我」仔細分析一下：在未出生之前，我是誰？出生在人間，我又是誰？今天與人計較，又能得到什麼？到底哪一天、哪一刻的我，才是實實在在的「我」呢？其實，每一個「我」都是虛幻不實的。

【樹立品格】

一個人的言談，是人格的表現，關係人一生的信譽。要立足社會，首先要能取信於人；若能篤信、誠實、慎守口業，則能樹立自己的品格。

【寶貴的一課】

受人批評，等於上了一課。應該認真聽、仔細做，謹言慎行，去除我慢心，無我執、無我相，修心養性，端正自己的行為。

【千錘百鍊得成就】

一塊鐵必須先經過洪爐烈火的熔燒和鍛鍊，才能煉製成一件精美的器具。同樣的，一個成功的人，也必須經得起別人的惡罵和批評，就像在洪爐烈火中燃燒一般，要經得起燒、經得起打，經過千錘百鍊才能成就。

【學習適應別人】

要求別人完美，不如先要求自我的完美；要別人適應自己，不如自己先去適應別人。

・第二十四篇・《捨》

兩手空空放不下

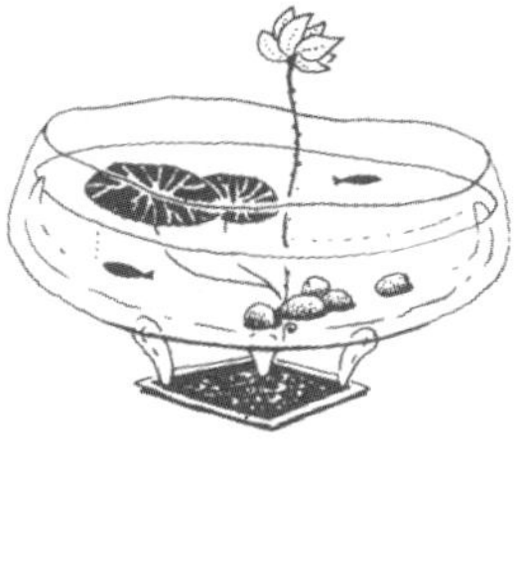

【得度】

成就無量的功德，就是滅除無量的煩惱；捨苦惱的此岸，到達極樂的彼岸，謂之「得度」。

【解脫自在】

要常常為自己祝福——念念解脫自在。

【培養能捨之心】

如何達到生死自在的境界？唯有靠平常多培養「能捨」之心，方達提得起、放得下之境界。

【能捨才能得】

捨去眼前的煩惱，才能當下擁有慈悲的法喜。

【圓融眞俗二諦】

人在世間，不離世俗事。如能釐清人我是非，凡事看得開、想得透，拿得起、放得下，善盡本分，圓融人事，即是通達「俗諦」。能透徹了解佛陀説的一切真理，契入般若，心正念定，不被外境所轉，此謂通達「真諦」。不執著真諦，不被俗諦所縛，圓融真、俗二諦，平衡事、理，是為「中道」。

・第二十五篇・《從慈濟志業說起》

無量悲願力

【化擔心爲信心】

與其擔心社會現狀，不如化作信心，並付出一分愛心。

【聚合大力量】

要勇敢面對現實，遇到困難要歡喜承擔，把握人生做好事，聚合大力量為眾生服務。

【千手千眼的力量】

如果人人發揮慈悲心，即可形成「一眼觀時千眼觀，一手動時千手動」的「千手千眼觀世音菩薩」，並具足無量悲願的濟世力量。

【志工三要】

當志工有三要：一、要不畏苦，能耐勞；二、要愈忙愈開心，愈做愈歡喜；三、要體悟無常，柔和自在。例如：知道病人得了癌症，不要展現憂愁的氣氛，要輕鬆自在，理智地開導病患。

【一方大福田】

有福報的人賺錢很輕鬆，是計「秒」賺錢；欠缺福報的人，一輩子勞勞碌碌仍一事難成！慈濟是一方大福田，能讓大家播種福因，並在今生、來生收穫福的果實。

【美好的儀態】

慈濟委員必須維持美好的儀態：右肩荷擔「佛教」精神，左肩荷擔「慈濟」形象，胸前佩掛自己的氣質。

【學習做人間菩薩】

成就菩薩道，必須經得起磨練。做慈濟、學習做人間菩薩，必須認真做本分事，遭遇困難時，必須再接再厲去克服。

【比上不足，比下有餘】

做人應該立好志、發好願。從事慈悲濟世工作要發揮「義務」的精神，大家互相鼓勵、互相幫忙；不要因為一點不如意事或眼前逆境，就以為自己是世上最可憐的人。其實人生在世，往往比上不足，比下有餘！

【做慈濟如推車上坡】

做慈濟猶如推車上坡，參與的人要努力往上推、不可停頓，並要以信心和毅力突破困難、勇往前行。

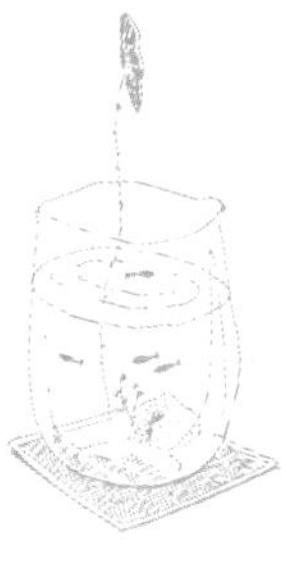

【多一個好人】

慈悲濟世的志業，可啓發社會人心的良知良能。多一位慈濟人，社會就多一個好人，所以要推而廣之。

【淨化人心】

目前社會風氣紊亂，眾生在富足的物欲下，養成奢靡的習性；慈濟志業就是要淨化人心，將奢靡轉化為樸實，輔導人們善加運用時間做有意義的工作；如此，一來可以改善社會風氣，二來可以增進家庭幸福。

【把握好因緣】

緣能成就一切道業；然而，道業也要「把握因緣」才能成就。慈濟志業，即是修行「菩薩道」的最好因緣。

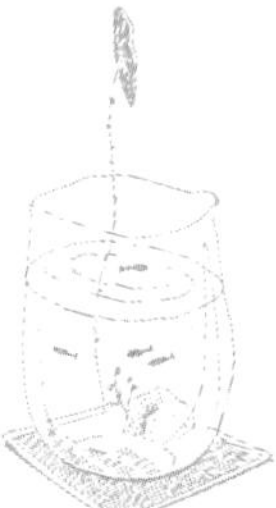

・第二十六篇・《度、無常、精進》

飲一杯智慧水

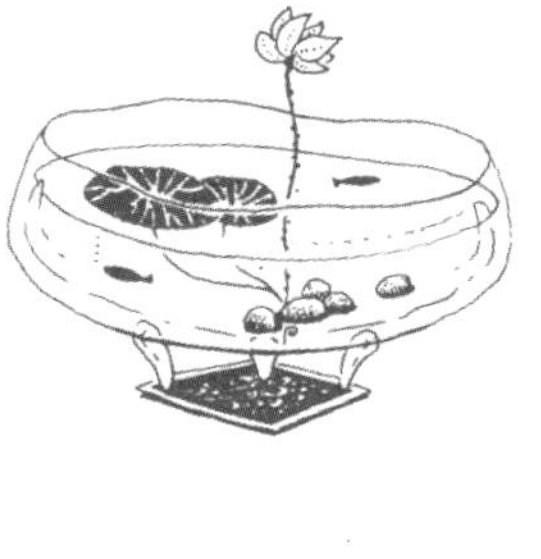

【普度】

普度的意思就是解救倒懸。「普」是普遍；「度」是從此岸度到彼岸，轉苦為樂。

【三根普被】

三根普被，是指佛法可以使上、中、下根機的人同霑法益。知識高的人，覺得佛法廣博精深；知識中等的人，覺得佛法受用無窮；知識低的人，則會覺得佛法給了他依靠。

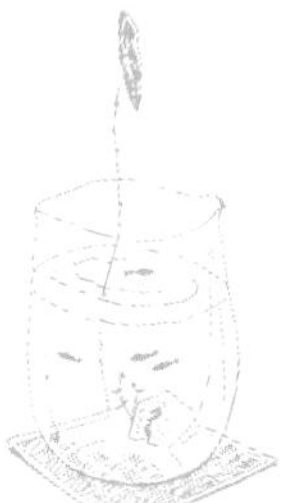

【攝爲船師】

攝為船師，攝就是接受；只要有信念，肯接受佛陀的教法，佛法就像是一條船，可以送我們到達解脫痛苦的彼岸。

【信能渡淵】

信能渡淵——只要有信心，即使大河也可以設法渡過；反之，即使近在咫尺，也無法到達。

【助念佛號】

助念佛號，是安慰即將往生的人，使其心不恐懼，心靈得安詳。

【打佛七】

打佛七，是學習佛門儀軌（法則）的好時機；認真聽法，將所聽聞的法銘記在心，好好清淨自己的身口意三業，如此打佛七才有功德和意義。

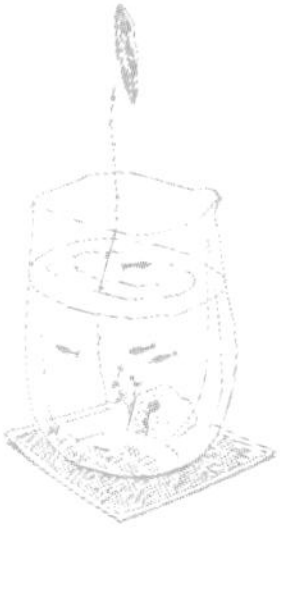

【平凡中的精進】

在平凡的人生中，自我約束行為、自我反省，把好的形態表現在日常生活中，就是「精進」。

【恩田、敬田、悲田】

人要知福、惜福、再造福，成就大福田。大福田為恩田、敬田、悲田。「恩田」是孝養父母，尊敬師長；「敬田」是尊重佛、法、僧三寶；「悲田」是看顧病人，救濟貧困，憐憫眾生。

【正報和依報】

果報有正報和依報。「依報」是眾生業力相同，共同生長在同一種族和國家；「正報」是依個人業力而定，生長於各個不同家庭環境，形成貧與富、美與醜、智與愚種種差別的形態。

【戲論】

空口說空話就是戲論。比如有些人口才很好，談起話來頭頭是道，法也講得很好，但卻不能拿來應用，這就是戲論。把佛法當道理來研究，只說而不能行也是戲論。

【無常誤爲常】

眾生因為認識不清，所以常把「無常」誤為常、把不樂認為樂，也因心性顛倒而造作許多墮入地獄之惡業。

【朝自性的高山】

拜山應該說是朝山，朝是方向，將自我的身心、行為，朝著一個目標、方向前進。山表示德高如山，所以朝山並不是拜哪座山，而是參悟自己崇高的心德，也就是——自性的高山。

古德云：「佛在靈山莫遠求，靈山只在汝心頭，人人有個靈山塔，好向靈山塔下修。」如能時時將朝山之心運用於日常生活中，即是「修行」。

・第二十七篇・《戒殺與護生》

廣庇天下盡歡顏

【美麗的人間】

在蕭瑟的冬天裡，需要梅花爭放，才會感覺世間的美麗；苦難的眾生，需要愛心人士的愛護及幫助，才會感覺人情的溫馨及社會的祥和。

【愛溫暖了淒涼】

至誠的愛心，可以溫暖人們心靈的淒涼。

【因病而貧】

貧困大多數由「病」而起，如能及時為其預防、治療疾病，使其再站起來為家庭擔當責任，就能恢復一個家的元氣。

【不殺生即是仁】

不殺生即是仁，仁者愛也。萬法皆由愛心起，一切善行離不開愛，因為有仁心愛念就不忍殺生害命，進而能積極地救護一切眾生。

【護生與害生】

使飢餓的人飽食，讓受寒的人溫暖，給生病的人就醫，對周遭見聞的人性與人道行為能彼此鼓勵、互相啓發，這才是正確的護生。若盲目地捉放生靈，不僅顛倒是非，甚至會「害生」。

【放「人」生】

有病的人我們幫他醫療，有急難需要幫助的人我們及時伸出援手，這些功德比放生還要大。

【勿逆風揚塵】

人與人之間要相互扶持照顧，才是健康的群體社會。如果有意無意間毀人形象，無異於「逆風揚塵」，終會被自己撒出的沙子反拂自己的臉上。所以，毀謗他人只是徒然毀壞自己的形象。

第二十七篇　廣庇天下盡歡顏

・第二十八篇・《這個關如何過?》

人生苦短

【過秒關】

人命只在呼吸間，如能抱著過「秒關」的心態，就會愛惜生命、珍惜人生。

【惜福行善】

能惜福的人就能行善，能行善的人必能時時快樂，這就是幸福人生。

【時不我予】

時光總是稍縱即逝，若不把握現在趁年輕時好好努力，等到年紀老邁時才想學習，往往就時不我予了！

【無所事事更痛苦】

人若無所事事，只想著：痛啊！苦啊！那麼時間只是平白地過去，痛苦反而更加嚴重。

【鑽石與泥土】

若能善用智慧，集中精神與心力，把時間當作鑽石般珍惜、精勤不懈，則世間沒有不能完成的事；若把時間當作泥土一樣揮撒、好逸惡勞，將一事無成，拖累社會。

【照顧每天的言行】

人生幾十年的成就，都是由每一天的言行累積而成。所以，要照顧好每一天的言行。

【富中之貧】

富有的人若不懂得善用財富，也會被社會人群所遺棄。其孤獨與寂寞，恐怕比窮困的人還痛苦！

【貧中之貧】

貧中之貧的人，不僅物資、知識貧乏，見識也窄淺；更有既貧且病者，心態孤僻，常覺得自己被人遺棄……。我們應設法給予更多的關懷和引導，才能幫助他們脫離苦難。

【貧患得，富患失】

貧者因物質匱乏而苦，富者則因心靈空虛而苦。貧者千方百計地追求物質，所以極其煩惱；富者則擔心失去已擁有，而無法輕安自在。

【貧中之富】

有些人雖然生活貧困，卻富有愛心、充滿人情味，所以感覺觸目所及都是親切可愛的臉孔，所聽到的也是充滿人情味的聲音，生活得非常快樂充實，這就是「貧中之富」的人。

・第二十九篇・《做人與做事》

此心即道場

【好事大家一起來】

好事，需要你、我、他共同來成就。所以，不要有你、我、他的成見。

【理智與感情】

處理事情，感情要蘊藏在理智中；與人相處，則要把感情表現在理智上，如此才會事圓、理圓、人也圓。

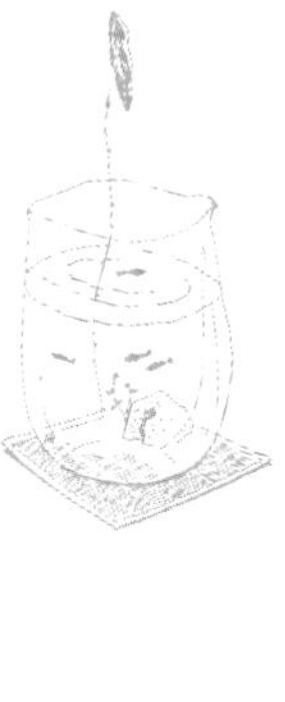

【直心即道場】

直心即道場，直心即是誠實心。正直無諂曲之心，乃是萬行之本。

【入如來室，學如來行】

日常待人處事中，要秉持誠正信實的心念，不能自欺欺人、心懷不軌。若能終生抱持「此心即道場」的意念，才得入如來室，學如來行。

【莊嚴自己，尊敬他人】

做人處事以身教為重，先淨化自己的身、口、意，才能感化他人，也才能真正做到莊嚴自己、尊敬他人。

【一念的偏差】

人常常因一念偏差而捨棄互愛互助的人生，變成貪求取奪、瞋恨殘害的人生。追根究柢，都是因貪求名利、欲樂而蒙蔽自己清淨的本性。

答人間問

【下卷】

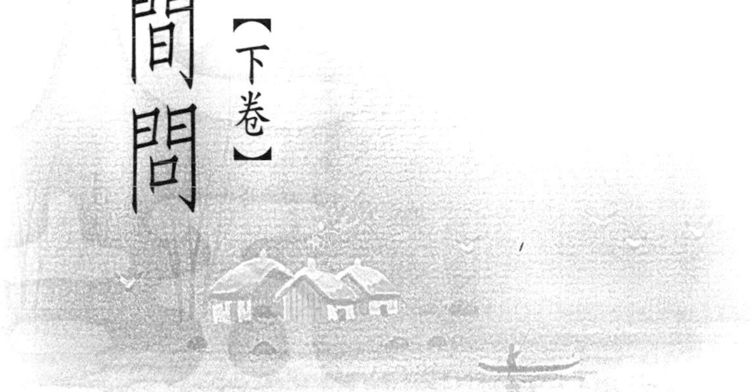

・第一篇・

人事篇

【說情愛】

有位從事文化教育工作的會員，在夫婿往生後，哀思難抑……

師言：「莫以世壽年歲算計人生的長短。妳先生這一生對事業及家庭的貢獻，遠超過他的年歲。妳若掛念他，應持續他那分使命感，進而超越他的成就——展現妳的才華，把精力、心血投注於培育下一代，淨化社會、延續我們良好的道德文化。切莫把生命局限在一個小家庭裡，更不要因失去伴侶就頹廢不振，要抬頭挺胸、站穩腳步，敞開胸襟，擴大關懷的對象與事物，好好地發揮生命功能。」

會員：「我會慢慢……」

師言：「不要『慢慢』，要『馬上就做』。人生無常，要把握當下。有人曾問：『師父有未來的計畫嗎？』不錯，我是有未來的計畫，也有目標，但是我的人生卻只掌握在此秒此刻。未來的成就完全是在掌握分秒中造就出來，『未來』也是由『現在』累積而成，妳要提起精神好好把握現在！」

會員：「將近三個月的時間，我一直無法克服心理障礙。上班時都只待在自己的辦公室，不能面對他人，也無法參與一切會議。直到夢見他説回不來了，才明白師父所説的：要了斷相思念。」

師言：「人生如舞臺，幕啓幕落，每個人都在戲裡扮演不同的角色；戲分已盡的人自然先行下臺，尚留在臺上的人則必須繼續努力扮演好自己的角色。妳一向很成功地扮演各種角色，如賢妻良母、孝媳，家庭事業皆能兼顧。此後，妳要開始扮演另一個角色——菩薩、善知識，當一位能知善解的良師益友，把自己的學問知識喜捨給學生及更多的人。」

「文化教育是一項大喜大捨的工作，真正的教育家，在於教導人如何獲得精神上的愉悅。人除了物質的需求外，更需要豐富的精神生活，才會感到充足與踏實。推展文化正是淨化心靈，使大家明白生命的意義，進而知福惜福，時時身心安寧、歡愉自在，此即文化的大喜工作。」

「教育是百年樹人的工作，為了培育英才，為人師者，要捨出時間與智慧，對學生毫無保留地傾囊相授、不存私，就是大捨。佛心是大慈悲心，菩薩是大喜捨心；妳要發揮生命功能，時時歡喜助人。」

「《心經》有云：『心無掛礙，無掛礙故，無有恐怖，遠離顛倒夢想……』心中不要再有任何掛礙，人生如戲，菩薩遊戲人間，希望妳在新的一齣戲裡，歡喜地扮演另一個更成功的角色。」

會員：「先生往生後，才發覺我在國外的那幾年，先生竟然與我最要好的朋友談戀愛。雖然先生已經死了，但是我的心裡還是很氣，不能平衡……」

師言：「妳不應該『氣死人』！」

會員：「我不是氣死人，我是氣活人！」

師言：「妳為什麼要回頭看過去？為什麼不好好認真看今天要走的路？人生就像走鋼索般，如果不認真往前看卻一直往後看，一定會跌下去。人還在時，就要原諒他、愛

他所愛的人；何況人已死了，還在感情上計較不休，到頭來又能得到什麼呢？」

多數人往往離不開感情問題……問情何在？

師言：「一般人在結婚前常講山盟海誓、海枯石爛、永不變心……，但曾幾何時，感情說變就變？因此，為情犧牲的人實在太傻了！人生在世，難道只為情而活嗎？如果為情而犧牲，等於抹殺了父母給我們的身體、生命，這是罪大惡極事。身體髮膚，受之父母，不可毀傷，這是大家都應該知道的道理。」

會員：「師父，我先生都不照顧家庭，責任都是我一肩挑，我要照顧十七個人，忍得頭都痛了！」

師言：「先生的家庭就是妳的家庭，他會將責任推給妳，是因為妳有這分能力；如果忍了還會頭痛，就表示妳還不夠忍。」

「妳有十七個人要照顧，而我的雙肩一邊挑的是千萬愛心人士：要時時祝福他們能家家平安，並以教富精神啓發他們自造福緣，讓生命更有意義。另一肩挑的是濟貧救急的擔子：除了長期照顧户的幫助外，意外的急難救助也必須及時救援。這麼多

人與事，難道我就沒有煩惱嗎？但是我認為為了眾生，任勞任怨也是值得的！」

有一位會員的先生每次在外面受到挫折，回家後總會對她發脾氣，她爲此十分苦惱。

師言：「先生心理上的問題，唯有太太可以為他化解。妳要多付出愛心，多鼓勵他。」

會員：「有啊！每次他向我訴說委屈，我就會告訴他：這個世間本來就是如此，我們多吃虧也就算了。」

師言：「妳錯了！應該要安慰他說：我知道你的委屈，為了這個家，你付出太多了，真是辛苦你了！」

有位會員常爲女兒的婚姻煩惱。

師言：「父母能夠生育兒女的身體，卻無法改變兒女的福業和惡業。各人有各人的業報因緣，為人父母要有一個共同的觀念——就是對子女只有責任，沒有權利。何不發大心、立大願？盡自己有生之年行走菩薩道，愛普天下的眾生。」

會員：「兒女都已成年了，我還是放心不下，好苦惱！」

師言：「能放下且放下，親情重一分，煩惱即長一分。兒孫自有兒孫福，人生無常，應當把握因緣，多為自己儲存道糧。」

問：「爲兒子發心，可轉業嗎？」

師言：「做好事是人的本分事，發好願當然會增福緣。但是，該來的總是要接受，生命長短，好緣或壞緣，可以將它視為人生的警惕，因緣果報抹殺不了。任何事若是『要不得』卻強『要』，反而『得不到』。」

問：「家人反對持咒誦經將功德回向他人，怎麼辦？」

師言：「信仰不必形象化，誦《地藏經》不如先了解地藏菩薩的大悲願，學習『菩薩悲願』度眾生。想念大悲咒水給人喝，試想：自己煩惱重重，有多少德能為他人消災解厄？若能具足『德』和『定力』，只要一個心念祝福他，『業』就消了。」

問：「聽了師父開示的錄音帶，覺得要改善教育陋習應該從家庭開始，但不知如何做起？」

師言：「先從家長教育起，讓家長的愛心擴大範圍，不要只局限於愛自己的子女。應該以媽媽心來愛天下的眾生，以菩薩的智慧來教育子女。」

家庭主婦該如何做，才能稱爲佛教徒？

師言：「人身難得今已得，既然來到人間，就不能違背做人的法則。身為家庭主婦，應先恪盡主婦的本分，才有資格成為佛教徒。家庭主婦對家庭、社會的貢獻很大，必須扮演多重角色：第一、做一位好媳婦，侍奉公婆恪盡孝道，即是禮敬堂上活佛。第二、做一位好妻子，照顧好先生，減少社會色情問題，讓先生除了事業還能兼顧志業。第三、做一位好媽媽，現在的青少年知識水準提高，做媽媽的必須不斷充實新知，以柔和聲色教育子女，使他們身心都健康。能盡到這些本分事，即堪稱佛教家庭婦女。」

弟子：「家家有本難念的經！」

師言：「既然知道家家都『有』，看開了什麼都『沒有』。」

問：「兒子三十六歲尚未結婚，眞替他憂心。」

師言：「不要強求，好緣成熟自會來；強求若得惡緣，婚後再煩惱就來不及了。」

問：「女兒的結婚對象，論學歷、名氣都比女兒差。」

師言：「名氣幾兩重？『賢』不在於學識，有『德』最重要！年輕人要兩情相悅而結婚，不要以名氣、文憑當對象。」

問：「我的家境富裕，獨生一子，但他卻百般忤逆……」

師言：「過去生結下的業緣，業來時由不得自己，但可加強精神感化和心理轉化，多為子女祝福！萬般帶不去，唯有業隨身，社會上有許多例子告訴我們：財富不僅沒有帶給子女幸福，有時反而帶給子女煩惱與惡業。唯以智慧處理財富，才能讓財富發揮應有的功能。」

問：「明知對方存心欺騙，卻甘心被騙！相見時恨得咬牙切齒，不見時又思念得心痛且想死！」

師言：「不要為一個人生啊！死啊！痛苦難當，死是很簡單的事，但要死得有價值。其實，一個人可以付出很多良能利益群眾，何不善用自己的良能呢？要好好把握人生，被一個人辜負不可惜，可惜的是你辜負了人生的良能。」

聯考期間，聽到許多父母的心聲——很擔心孩子考不上。

師言：「母子連心，做父母的為兒女考試緊張，如果形於外，會影響子女的情緒。何不將緊張的心情轉化為念佛的心，得失心不要太重，『得』在前，『失』必在後，何況『行行出狀元』？」

問：「先生氣極時，每每指責兒子將來絕對沒有出息：要有出息，除非是天地丕變。」

師言：「這是一句祝福語，因為天地時刻在變動，乍暖還寒，明晦更迭，日月推移。所以，你的孩子將來一定很有出息；凡事要善解，善解才能增長無量福慧！」

問：「職業婦女應如何兼顧家庭與事業？」

師言：「女人有一股很寶貴的功能，也是女人最美好的一面，那就是母性的光輝。社會日新月異，做好一個職業婦女固然能增長知識，但是不可埋沒了母性的光輝！」

一對傷心且心懷怨忿的父母來見師父，敘述其子因在外與人發生爭執而不幸遇害的遭遇。

師父安慰道：「冤可解，不可結。如果你們真的想為孩子植福，就該原諒對方，把報復的怒心轉為寬恕，多為孩子念佛，替他造福，他的業力即得解脱。其實，生是死的起點，死是生的開頭，不要太傷心。如果孩子的死能讓你們覺悟生命的意義，進而將愛心用於更多需要照顧的孩子身上，那他便能因此得福！」

問：「太太因爲兒子頂撞一句話，氣得心臟病發作。」

師言：「教導孩子要有方法。孩子乖時，要多讚揚、鼓勵；不聽話時，以啓發或開導的方式輕輕説他幾句，應機施教。社會變遷快速，教育子女的觀念與方式也要跟著子女知識的提升而成長。」

問：「隨著社會變遷，人際關係複雜化，婚姻問題層出不窮。當事者該如何面對令人『柔腸寸斷，痛不欲生』的外遇問題？」

師言：「不要說是『外遇』，要說是『另外的緣』，這也是當事者的業，要勇敢地接受。妳要感謝先生，是他使妳看清世間的無常，妳才有機會調整自己，不要想成是一種傷害。如果因此自殺更划不來，因為自殺是毀了父母所賜的身體，是大不孝！沒有健康的身體，怎能隨緣消業呢？」

【說婆媳】

問：「婆婆往生時，因在國外，並未按照民俗喪禮，爲婆婆穿數層衣服入殮。爲此，我內心很不安，覺得未盡爲人子媳之孝，兄弟妯娌也經常爲此事爭吵不休。」

師言：「事情過去了，就不要記掛在心，兄弟妯娌也不要為此鬩牆。假使婆婆地下有知，靈會不安；只要她靈安，你們的心就安。」

老太太：「師父，我沒將家裡的經濟大權交給媳婦，她好怨我，但我也是爲他們好。」

師言：「既然為他們好，為什麼不做好人呢？把經濟大權交給媳婦，讓她自由發揮，妳不但可以減輕責任，她也會感激妳。如果妳守著這些錢讓她怨妳，將來有一天妳若是病了或一口氣不來，錢不會聽妳使喚，妳對錢也無可奈何！倒不如現在歡歡喜喜送給媳婦，她在感激之餘，自然也會聽妳的話。」

第二個月，老太太見到師父時說：「多謝師父！我現在過的才是真正的人生。一來

不必擔負責任，二來媳婦每個月都會給我兩萬元，要做善事也夠了。以前我連兩萬元都沒有，因為我不敢超出預算。」

【說病痛】

一位肝癌末期的病人請求皈依三寶。

師言：「人的命有兩種，一種是有生滅的命，它污穢、骯髒；另外一種是清淨長久、永生不滅的慧命。這分不淨、無常的生命既然已敗壞，我們不要勉強去修補。修修補補的屋子不太好住，不如重新蓋一間更理想、更安全的處所。所以，我們應該好好把握接觸佛法的機會，在有限的生命中播種一分愛的菩提苗。現在趕緊培養菩薩心，將來才能帶著這分愛的精神去尋求理想的好地方。我們要有信心，捨棄了苦短的身命，還有一個恆久長遠的菩薩慧命」。

「身體上的病並不可怕，可怕的是心先病了。人生有幾何？我們應該提起精神與勇氣，舒展眉頭，歡歡喜喜地過人生。病不可怕，要病得快樂、病得自在。」

「想皈依要聽師父的話，必須放開生死煩惱。有的人一聽到自己的病情就神經質地亂投醫，結果病情愈醫愈嚴重；當完全放下時，反而出現奇蹟。所以，不要給自己心理壓力，凡事隨緣順其自然！」

問：「學佛多年，佛理雖懂不少，但是面對病魔時，依然惶恐、無法自在。我該怎麼做，才能求得佛的感應？」

師言：「學佛並不是要求得佛的感應，重要的是培養自己的勇氣。佛言『定業不可轉』，應以一分坦然的胸懷及因果觀，勇於接受隨身顯現的業報，這才是學佛的真諦。」

有一老居士因糖尿病影響視線，雖然眼睛昏花，還是每日拜佛、念佛從不間斷。他感慨地對師父說：「人生到頭來都是一場空！」

師言：「不會呀！你得到了佛法、智慧，有這分覺性也不虛此行了！」

有位老居士因身體欠佳，自覺來日不多，一心只想儘快往生極樂世界，換個「乾淨身」再來度眾生；但又怕來生迷了路，失卻菩提道心，因而苦惱不已。

師言：「一切隨緣！身體能早日康復，就能面對現在的眾生。現在的眾生需要我們，不管三人、五人，將來都是菩薩道上的伴侶。若今生此世都度不了，還談什麼來世？學佛不可以捨離眾生，世間緣還在就要多多利用，以便具足眾生緣。不要一直把自己當成病人，要放鬆心情，以健康積極的態度來面對生活。」

會員：「師父，您要多保重法體呀！」

師言：「人生沒有十全十美，人人都有病——有的是心病，有的是身病。病障並不可怕，我雖然身病不斷，卻寧願以病障來替代事障（因為事障會使人煩惱叢生），以求慈濟志業早日完成。娑婆世界是個甚忍的世界，眾生棲身於此就要有堪忍的精神。再說色身只是假相，希望大家要好好照顧自己的慧命。」

有位就讀醫科的學生，因親人往生，心情很哀傷。

師父安慰他：「學醫的人，將來需面對許多病患，因此對生死要有更深一層的認識。『死』在佛教來說是『往生』，亦即開始另一段新的生命。生死是循環的，所以死亡並不可悲，我們要為往生者祝福，並為他念佛。」

學生又問：「我現在能為往生者做些什麼？」

師父再言：「你現在要用功讀書，把醫術學好，將來以此身體發揮救人的功能。我們的身體是父母所遺留的血肉，若能好好地發揮良能，便是最好的報恩方式。」

一位老先生受胃癌折騰，痛苦難當。

師言：「十分病，有三分是身病，其餘七分是心病。痛時，呻吟一聲和念句佛都是出聲，何不念佛？苦時，皺眉和微笑都是一個動作表情，何不微笑？愉悅的聲音和表情會讓家人得到寬慰，自己也能安詳自在。」

問：「我患心絞痛多年，最近感到世緣將盡，生存的意志愈來愈薄弱！」

師言：「你應該盡量恢復正常的作息，該到醫院作檢查就得檢查，該就醫就得就醫，決不能失去生存的鬥志，要把身體交給醫生，把心靈交給菩薩……」

客問：「不知師父對生命有何看法？」

師言：「人的生命本來微不足道，但是有一樣東西卻重於泰山，那就是——慧命。它可以不斷延續，發揮良能，讓後世的人循著這個腳步不斷前進。」

【說心境】

客問：「看完《靜思語》，覺得師父有一套完整的哲學觀。亞洲週刊形容您是一位『攀山的人』，請教師父這數十年來，在攀山過程中的心理變化和轉折？」

師言：「每個人都有自己的人生目標，在確立目標之前，應有一番冷靜的考慮和抉擇；目標確立之後，即要一心向前邁進。我常常拿走路作譬喻：從精舍到醫院，可以走大馬路，也可以走鄉間小徑，兩條路殊途同歸，都能抵達；但我卻常常選擇後者，原因無它——我喜歡這條路純樸、寧靜的風光。」

「數十年來，在修行或處事上面臨挫折、困境時，我總把它們當成通往目的地的沿路風光，以欣賞風光的泰然心境去面對。攀山，目標應放在山頂，所以就不該為沿路風光的美醜而動心、停滯不前。」

客問：「如果有人喜歡做濟貧的慈善工作，又喜歡欣賞沿路的美麗風光，您認為二者會有衝突嗎？」

師言：「只要心安理得就不會衝突，端看個人心態。」

客問：「您出家前所經歷的事物，是否對您思想

上具有影響性的幫助和啓發？」

師言：「我沒有多餘的時間去回顧過往，也無暇憧憬未來，只是很盡心地掌握現在，謹慎地處理此時此刻。」

客問：「慈濟是千秋百世的志業，該如何維繫它歷久不衰？」

師言：「佛法講因緣，只要是種好因、結好緣，必能得好果。慈濟是個好因，此時此刻就是好緣。我之所以強調要把握此時此刻，是因為過去種的因呈現於當下這一刻，而未來的成就也端看此刻的努力。因此，不要空想未來，要有計畫地把精力投注於此時此刻。比如慈濟醫院及靜思堂等建築，也是在一刻不停的累積下而完成。」

來訪者問：「爲何衆生會這麼苦？」

師言：「心迷就會苦，心悟就自在。佛陀説：『人人平等，本具佛性。』只要肯精進並力行菩薩之道，一定能成佛。上求佛道、下化衆生，苦樂自在即無所謂苦。」

會員：「感謝師父救了我，使我改掉迷信的觀念，心念一轉，果眞家庭和睦，先生事業也順利。」

師言：「凡事從自己做起，人的習氣不同，各如其面。俗諺云：『山可移，性難改。』其實『性』不用改，每個人都有『佛性』，改掉了『佛性』，我們像什麼呢？所以，只要改『習氣』即可。」

問：「有沒有天堂與地獄？」

師言：「心善即天堂，心惡即地獄。」

一位會員請師父開智慧。

師言：「心地黑暗，智慧就難開！所以，心要安分，莫生煩惱；如果心生煩惱，無明即起。無明會遮掩心地的光明，如雲掩月，以致智慧不能顯現；拂掉無明黑暗，即智慧無礙。」

問：「如何破『我執』？」

師言：「『無我』有兩種境界：

一、將自己縮小到零點，無孔不入，穿入人人的瞳孔，再嵌入對方的心版最微細處。

二、將『我』擴大如虛空——『心包太虛，量周沙界』，則何事不包，何物不容？道理說來很簡單，實行起來可不容易，所以老話一句：時時刻刻要『藉事練心』。」

有位居士喜談風水地理。

師言：「佛教談心理，不談地理。」

會員：「什麼樣的東西最美？什麼樣的東西最毒？」

師言：「最美的是善良的心，最毒的是色欲心啊！」

會員：「師父，我全身都是病，病得沒辦法工作，可是每位醫生都說我沒病……」

師言：「你有病，而且病得很重，連醫生都沒辦法治療。」

會員：「真的那麼嚴重嗎？」

師言：「是呀！你得的是心病，醫生沒辦法治療，唯有靠你自己轉化心境才有辦法治癒。心病久了，會變成身病，屆時就沒藥可醫了！」

某會員在一次聚會中與師父面對面時，覺得很不自在，即隨手拿起身邊一本書遮住臉孔，那本書的封面正好是一尊佛像。

師言：「希望你遮住了凡夫面，露出佛祖面！」

客問：「我很容易分心，經常在做事的同時操心下一刻的事務該如何處理？請問師父：要怎樣才能用心？」

師言：「知道利用時間、能夠把握當下此刻，就是用心。做事要專注，胸懷要如海天一般

廣闊清明。好比大鵬鳥，專注地蓄勢待發，一陣風來，即全力衝飛，氣勢磅礡。用心是自然而然的，並非刻意造作。」

再問：「既然用心是無掛礙、不執著，但又必須全力專注，二者是否有所矛盾？」

師言：「專注用心時，根本無心可用。心只是一個名相而已，眾生大都被名相所縛。走路、吃飯時，你刻意用心了嗎？它是那麼自由自在地走得好、吃得順。所以說，用心而『不用心』。」

客答：「很有道理，然而知易行難。」

師言：「大而化之怎會難？是你覺得它難才會難。」

爲何目前的社會這麼亂，一有風吹草動，人心即惶恐不安？

師言：「因為缺少正知正見的關係。人的觀念不正，就不能正業；觀念如果偏差，所做的事也會錯誤。」

問：「師父，您對臺灣的信心如何？」

師言：「對任何事都要有信心！既知有部分不完美，如果我們再放棄它，這分不完美就會更加擴大。不要為了一個小家庭，反而忽視了大家庭。」

【說人生】

會員問人生觀。

師言：「正確的人生觀是說話要負責，並注意現在規畫的一切，不為明天以後的事迷失人生的目標；只為『未來』計畫，為『現在』負責。」

問：「事情繁多而忙碌，記憶力消退了許多。」

師言：「很多人無所事事過一生，歲月同樣會消磨他的體力，消退他的記憶力。人生並不是因為做事才消退功能，而是因歲數增加而消退了功能；所以，我們應該好好把握時間及時付出。」

問：「什麼是圓滿的人生呢？」

師言：「就是對上有禮、對下有愛。對人如果無怨無恨，相信別人對我們一定也會心生敬愛，能夠人我互相敬愛，就是圓滿的人生。」

問：「怎樣才能自救救人？」

師言：「改善自己就是自救，影響別人就是救人。」

【說忍辱】

問：「師父，我很想做一個聽話的好弟子。可是，我發現越是忍讓，對方越是得寸進尺。我的瞋恨心隨時可能爆發，怎麼辦？」

師言：「把對方看成佛菩薩，把那些逆境當作對自己的考驗。學佛的人，怎能對佛菩薩生氣呢？」

問：「如何圓融人事？」

師言：「圓即圓滿。待人處事要用圓的方法，不要用尖銳的方法；用尖銳的方法會傷害人且讓對方懷恨你。所以，我們要避免用此方法。然而對惡人要以包容之心待他，卻也要防人之心不可無。」

會員請師父開示「忍」的重要性。

師言：「人事之間所以有重重困難，都因不能忍。六度首重『忍』，布施、持戒、精進、禪定、智慧也都需要忍才能成就，尤其為造福眾生不能不忍。眾生有不同的習氣，要等待因緣成熟時，才能像去除浮油層一樣，輕輕地瓢起眾生無明塵垢習氣。菩薩六度萬行，若能忍，即得人圓、事圓、理圓，六度功德不彰自顯。」

會員：「師父，什麼樣的人您不能原諒？」

師言：「每一個人都可以原諒，唯有不誠實的人是我比較不肯原諒的。做錯事在所難免，但是若一而再、再而三說錯話，就不可原諒了。所謂的說錯話，就是妄言、綺語、惡口、兩舌。」

【說慈悲】

一位八十歲的老先生說：「孫子說我愈來愈年輕，眞的嗎？」

師言：「那是因為你心中有愛。心美就能淨化人生，孕育人與人之間的快樂，美化彼此的身心。」

一位會員常祈求三寶加被世界吉祥。

師言：「不能只是祈求，而要人人力行善事，遵守人倫，敬老愛幼，如此天下就會吉祥。若諸善不行，天下如何吉祥？」

問：「『慈悲』和『博愛』有何不同？」

師言：「『慈悲』的含義較寬廣，慈遍無緣，悲至同體，於蠢動含靈，無微不至；而『博愛』卻只限於人類。」

客言：「我從二十歲開始，就一直在宗教的領域裡探索，卻總覺得很難找到眞正的歸屬。有幸得到您的教誨，讓我看到了那分寬廣的包容力，以及那股爲了追求理想的堅毅信念。師父能夠不受世俗標準的羈絆，突破宗教界限，使得有緣者都能參與善業，消弭了人與人之間的隔閡，我認爲這比眼前所創造出來的事業更偉大。」

師言：「對我而言，一切都是順其自然，沒有所謂『包容』的感覺。」

客問：「這正是我第二個感動。您在談到所做的一切時，態度是那麼自然。」

師言：「魚活在水中，是自然；人呼吸空氣，是自然；包容人事物，也是一種自然。生活在人群中，本就應該互相關心，接受彼此。現代人因為有太多的不自然，才會視自然為奇事。」

年輕人喜歡開快車，怎麼辦？

師言：「開快車不是行家，能禮讓才是有修養的紳士。為了保護自我心中這尊完美的菩薩，一定要遵守交通規則。」

【說事理】

問：「爲什麼慈濟人口口聲聲談慈濟、讚歎慈濟？是否自讚？」

師言：「在佛教裡，每一尊佛都有佛國土，譬如阿彌陀佛發願度眾生，只要持念他的聖號，心不顛倒，臨終時必蒙佛接引，往生阿彌陀佛極樂國土；藥師佛發十二大願度眾生，也是如此。慈濟世界是個很美的世界，確實值得『自讚』，但是並不『毀他』。」

（註：慈濟世界中，人人心存善念，口說好話，

身行好事，在善的循環中，締造真善美的人間淨土。）

問：「我想在假日的時候帶孩子去探訪貧戶（照顧戶），不知是否適當？」

師言：「很好啊！這是很好的機會教育。很多慈濟人在訪查照顧戶後，才發現自己原來這麼富足，因而生起感恩心，也更珍惜自己所擁有的一切。所以，讓孩子多了解一些也很好；但是有一點要特別注意，就是要叮嚀孩子到照顧戶家時，應以親切的態度對待他們，不可以有怕髒或厭嫌的臉色。」

問：「慈濟人好像都很有錢？」

師言：「不一定都很有錢，但都很『富有』——富有愛心、富有智慧、富有感情！」

問：「師父，我很想多參與慈濟的工作，但是又怕樹大招風……」

師言：「樹大有樹蔭可供別人乘涼，而且根深柢固，不易被風吹倒，它的周圍也不易長雜草。如果怕樹大招風而改植小灌木，將永遠只是一棵小樹，又有什麼大用？要避免樹大招風，就須在平時多修剪枝葉——也就是多修養自己。」

問：「師父，慈濟志業那麼大，您『走』了之後怎麼辦？」

師言：「只要好好珍惜、把握此刻自己該做的事，哪須擔心誰什麼時候走？」

（註：人生無常，二十多年前就有人對師父的健康表示擔心！二十多年來，比師父年輕、健康的弟子，多少人在慈濟道上來了又去；有的凋零，有的隱沒；只有師父仍然孜孜不倦地推動慈濟的志業，這期間不知挽救了多少迷茫的眾生，開啟了多少人的智慧。世間事哪有什麼定數？佛陀的精神，二千多年來，不就是靠有心人這樣傳了下來！）

問：「如何接引眾生入佛門？」

師言：「佛陀為眾生而設教在人間。為了讓大家了解佛教，必須先為眾生服務。慈濟所作的一切，就是先利益眾生，然後再接引眾生入佛門。」

問：「醫院蓋在花蓮，那麼遠，我們贊助它又用不到它，不是很可惜嗎？」

師言：「八大福田中，看病功德第一。建設慈濟醫院是因為東部醫療設備缺乏，才用心費神去完成它。佛教徒應有『心包太虛，量周沙界』的寬大胸懷，何況發心捐建醫院是為了解除眾生病苦，種下健康的福因；如果能不用到它，不是更好嗎？」

會員的先生：「感謝師父幫我調教太太！自從她加入慈濟的行列後，變得很溫順、勤快，也很體貼。」

師言：「其實不是我調教她們，而是委員本身投入濟世工作中看到芸芸眾生病、死的一面，進而體會到人生無常，無形中時時警惕自己，修正自己偏差的行為。尤其團體生活中，隨時都可以找到學習的對象和自我教育的機會。事實上，我更要感謝委員們的先生對太太的支持，讓我減輕不少擔子！」

客問：「師父有一個原則：所有捐輸善款全部用在濟世工作，精舍生活所需則一律自理。請問這是您剛出家時就有的決定嗎？原因何在？」

師言：「未出家前，我一向奉持自食其力的生活方式；決定出家時，我仍然抱持這分理念延續至今。『自力更生』與『為人群付出』，都是我人生的目標。因此，功德會成立後，我就公私分明、十分清楚地處理各項捐款。因為誠正信實，慈濟才有今日的建設；也唯有如此，才不會損傷慈濟龐大的善業。」

問：「師父的願如此大，弟子們該如何效法隨行？」

師言：「蜈蚣有百足，前後左右相互協調就能前進；只要大家同心協力、步伐一致，就一定能達到目的地。」

問：「如果有病人住院很久，家境又貧，醫藥費如何處理？」

師言：「我常關照醫院的醫生們只管治療，不必管病人有沒有錢？因為那是我的事。家貧的病人由社會服務室處理：家境不好的可以打折；合乎醫藥費全免的則全免；家庭經濟暫時有問題的則鼓勵他站起來，日後有了工作再慢慢還錢。」

問：「師父，慈濟很好，我很希望能夠多做一些，可惜我的身體已不行了，障礙很多……」

師言：「就是因為我們的身體障礙多、病痛多，才要趕快發揮它的功能。身是載道器，盡心盡力慢慢拖、慢慢拉、慢慢載，也可讓我們搬運一些東西到彼岸。」

問：「很多人發願下輩子到慈濟當醫生，有那麼多的病人嗎？」

師言：「人並非只有身體上的病痛，各種疑難雜症也很多，需要如菩薩般的大醫王來開解他們的心理癥結。」

問：「慈濟四大志業的最大意義是什麼？」

師言：「慈濟的慈善、醫療、教育、人文四大志業，不能離開『事與理』。慈善與醫療屬於事，教育與人文屬於理，其最大的意義就是『事理雙運』。」

「慈濟志業要順利發展，必須事理圓融。

再好的道理，如果不去力行，等於是空話；再好的事，如果不按正理而行，難以竟其功，由此可見事理雙運之重要性！」

問：「師父，我有一位朋友很有錢，一直想向他介紹慈濟、讓他做好事，他卻說沒興趣。」

師言：「做慈濟要抱持平等心，不能只向有錢人介紹。眾生平等，不論有錢、沒錢，都要讓他們知道世間有這麼好的善業，有這麼美的福田可耕。他們若肯發心，要為他們恭喜；若不肯發心，要為他們生起憐憫心，不要失望。」

問：「佛教講『少欲知足』，慈濟志業卻愈做愈大，這樣不是變成多欲嗎？」

師言：「欲望有兩種：一種是向上求——追求聖賢的足跡；一種是向下求——追求財、色、名、食、睡，這是地獄五條根。」

【說學習】

問：「何謂『方便法』？」

師言：「『方』是方法，『便』是便利他人。以各種方法感化他人而不為難他人，謂之方便法。」

問：「學佛如何學得不執著？」

師言：「既然知道不要執著，就應放下。人都是因為太聰明了，分別的事多，矛盾也多，才會執著看不開。」

會員：「『學』必須如何學呢？」

師言：「當然要用眼睛看、耳朵聽，進一步要『用耳朵看、用眼睛聽』；要用心思考，再把道理活用在日常生活的待人接物上。」

問：「近來勤於奔走大街小巷勸募善款，而疏於閱讀經典。」

師言：「現實的人生百態，每天的人事物，就是活生生的一部經，除了可增長我們的智慧，又可藉外境將心修練得如如不動。『道』不是在文字上求，應在日常的人事中磨出那分『定力』，由『定』而發『慧』。能在菩薩道上自利利他，即是依經典所教而行，福慧雙修。」

【說時間】

會員：「為什麼師父常警惕我們要過『秒關』？」

師言：「人生無常，人命只在呼吸間，一秒間過不了關，生命就結束了。所以，我們要好好把握每一分、每一秒。」

會員：「師父，您對將來有什麼計畫？」

師言：「我有一個目標擺在前頭；但是，我只做好今天此時該做的，把握分分秒秒，很謹慎地過。我一天必須過八萬六千四百秒的秒關！」

【說管理】

問：「重視倫理、仁治、禮治，是中國歷代的傳統觀念。但是，當今社會上有許多混亂的現象，無法只靠傳統的精神力量制衡，必須有一套合乎正義的法律規範來管理社會，以彌補傳統的不足處。目前我正在寫作一本有關法治國家的書籍，想請師父給予指教。」

師言：「人離不開法。法令是法，道德的法則也是法。法令治末，道法治本；政令法則用於犯罪後的懲治，道德法則用在本性的自我統御管理。以法治國，就看你從哪個角度下功夫了。」

問：「師父，您用什麼方法管理慈濟？」

師言：「其實，人不需要別人來管，也無法管別人，因為人都不願受別人管制。重要的是，讓人人發揮『自我管理』的心態。」

【說做事】

問：「師父走過三十多年的『慈濟之旅』，對自己可曾下過定論？」

師言：「我對自己的定論，只是盡本分做事，不回想過去，也不妄想未來，但是要有個藍圖，即是把握時間朝目標前進。」

問：「我常常行善，爲何還是事業不順、道業未能精進？」

師言：「為善也要選擇。佛經裡的十魔軍，有『善根魔、信心魔』，若缺乏選擇的智

慧，就容易被善根魔所混淆。為善乃本分事，不要常惦記著：我做了許多好事，一定能贏得事業順利。這種為善帶有煩惱，也稱為『善根魔』，道業又怎能精進？」

問：「有人說師父是中國的德蕾沙、史懷哲，是乘願再來的大菩薩，您對自己的評價是什麼？」

師言：「我只是盡自己的本分做事而已。」

某會員在團體中工作認眞，受到眾人的讚歎而沾沾自喜……

師言：「那有什麼！一個能挑十斤的人只挑八

斤，與一個只能挑一斤的人竟挑了一斤半，哪個功能大？」

（註：在慈濟有一些老菩薩，識字不多，卻緊守著師父的教示，默默地做，精神令人感佩！）

問：「要求別人做事很辛苦，但事情又必須很多人一起來做。如何讓大家願意做，而且做得很歡喜？」

師言：「欲得應先給。俗語說：『捨得、捨得，能捨才能得。』若是強要，就『要不得』。」

問：「做不來的事可以推辭嗎？」

師言：「君子精進不怕困難，所謂一勤天下無難事，君子為善不讓賢，好事怎可推辭呢？」

會員：「我的壞脾氣一直改不了，怎麼辦？」

師言：「脾氣不好，不但自己痛苦，也惹人討厭；脾氣好，不但自己快樂，也討人喜歡。氣質和修養的好壞，全看一個人的脾氣；脾氣不好，所有的修養都報銷了。」

【說煩惱】

問：「我常閱讀經典，也懂得修行，爲何仍煩惱重重，心老是放不下？」

師言：「若是放不下，老是起心動念，就是佛在眼前也沒辦法；既知境界轉心，就應該趕快以心轉境。」

會員：「本身從事美髮工作很忙碌，但是愈忙心靈愈空虛。」

師言：「可能是缺乏人生目標，才會有空虛感，可用佛法來充實。例如替客人洗頭時，可

以同時聽講經錄音帶。如此，不僅為客人洗頭，也洗了客人的心，自己也能體悟人生的目標。」

某大醫院的護士，對一位脾氣暴躁的大牌醫師非常頭痛！每次想到要與他在手術房共事，心裡就很苦惱……

師言：「妳以幽默的態度來對待他，讓他把心裡所有的怨氣統統發洩出來，然後再以溫言軟語轉化他的心。久而久之，他的心境不就乾淨了嗎？」

【說欲望】

企業家問：「我的事業做得很順利，該有的我都擁有了。可是，有時候還是感到很空虛，爲什麼？」

師言：「一般人都太看重自己，求無止境，心無厭足。有了溫飽，還想要更享受；有了一千萬，還想要二千萬，心永遠不滿足。佛陀說：『安穩最大利，知足最大富。』如果你能將事業的成果回饋社會、分享大眾，我想你會活得很充實、愉快。每個人都是群體中的一分子，有群體的配合，才能成就個人的事業。因此，將成果回饋社會是應該的。何況這些有形的物質，到頭來也都帶不走！」

問：「師父的毅力、勇氣和信心，是與生俱來？或因諸事而不得不負起責任？」

師言：「無欲無求，則力量不盡。人之所以缺乏毅力、勇氣，是因為好逸惡勞、玩物喪志。」

【說民情】

某居士請示師父對「股票」的看法。

師言：「『股票』若是為融通企業間的資金，帶動社會繁榮，就是正當的置產方法。如果以投機取巧的心態『炒股票』，操控漲或跌，一方面會促使人心起伏不定，甚至有人為此傾家蕩產；另一方面也會讓人養成好逸惡勞的習性及貪念。以佛教的『因果觀』來講，炒股票對他人所造成的傷害，無異是『我不殺伯仁，伯仁為我而死』的行徑。」

律師對師父說：「社會民情混亂，常見親戚間為了爭財產而打官司，令人看了十分痛心！」

師言：「站在宗教者的立場，是多一事不如少一事；少一事就是功德一樁。打官司很痛苦，一場輸、一場贏，輸輸贏贏痛苦難當。」

問：「複雜和簡單如何區別？」

師言：「簡單即複雜，複雜即簡單。吃飯最簡單，但一不小心卻會噎死人。」

問：「社會現在有許多問題，但不知問題出在什麼地方？」

師言：「可能是在『人』。每個人都是人群中的個體，國家和社會要強盛，每一個『個體』都有責任。比方『垃圾問題』，並不是垃圾堆積如山才產生問題，是因為每個家庭的丟棄物太多，才會產生垃圾問題。」

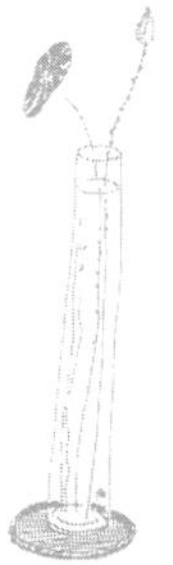

問：「如何化解勞資對立問題？」

師言：「從前的人為生活而工作，所以工人怕丟飯碗。但是，現在生活水準提高，變成老闆怕丟事業。為了經營好事業，就應該去除我是『董事長』、你是『職員』的心態。」

問：「慈濟的責任是什麼？」

師言：「慈濟委員和會員有兩種責任，一為『救貧』，一為『教富』。雖然愛心人人都有，可是在習性上，大家總是存有私心，只愛自己的子女和家庭，很難去關懷別人。許多人賺了錢以後，都不會想到自己所賺的錢是社會大眾付出的結果，更不會想到個體和群體之間存在著極密切的相互依存關係。所以，慈濟委員的責任就是付出愛心、耐心，啓發他們的良知，讓他們把愛心發揮出來，取諸社會、用諸社會。只要大家少花費一點，將點點滴滴的力量集中在一起，就會形成一股很大的力量。」

・第二篇・

宗教篇

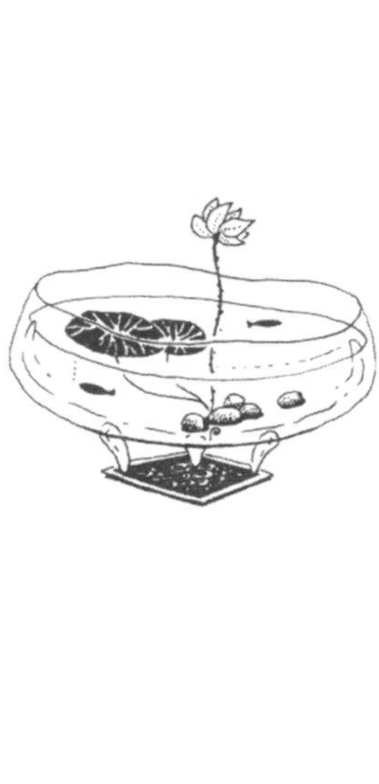

【說因果】

會員：「『因』是什麼樣子？我看不見。」

師言：「『因』就像一粒龍眼種子，我說它是一棵龍眼樹，你一定不相信，因為它怎麼看都只是一粒龍眼種子，這就是有『因』而缺少緣。若將它埋入土裡，經過陽光、水分的滋潤，它就會萌芽、茁壯而開花結果。」

「一分布施的心就是種子，有因緣時要趕快播種；時間一到，它自然就會萌芽茁壯。不過，必須要有一段時間，不能指望

今天播種，幾天後就要收成。若急著用鏟子挖來看，才剛要萌芽的幼苗，會連根都被你挖斷。」

問：「為什麼有些人不行善，命還是很好？」

師言：「這就必須談到三世因果。有些人稟性善良能幹，但是生活事事不如意；有些人霸道、待人苛刻，卻一再平步青雲，這是前世果報——定業。雖說定業不能轉，但若能對境不生二心，時時以佛法為精神的依止，就能得到一分坦然的觀自在。」

企業家問：「從我懂事以來，就沒做過什麼壞事，爲何最近厄運接二連三地發生，使我很煩惱，不得不去問因果、算算命……」

師言：「沒做壞事是人的本分。世間那麼大，多數人都沒做壞事，只是缺乏做好事。沒做壞事在世間不稀奇，要積極做好事才能真正轉業力與命運。心好卻不付諸行動，等於沒做一樣。」

【說消災】

問：「師父，您的生日是哪一天？」

師言：「只要能張開眼睛，每一天都是我的新生之日，都是我做人的開始。」

問：「如何消災增福？」

師言：「災要自己消，福要自己造。真正的消災要靠自我修養——忍讓可避免爭執，柔和大愛可轉禍為福。」

【說迷信】

問：「爲什麼很多佛教徒喜歡在神明面前擲筊杯？」

師言：「很多人一直迷惑於那兩片木頭。其實，人不怕不信，只怕迷信。不信的人表示很有理智，但只要他認識了真理，就會深信不移；而迷信的人則容易牽強附會，反而糟糕。」

某先生說：「在美國發生車禍後，常覺得有東西纏身，長年病痛不斷。但又查不出病因，到處求神問卜，心中常感惶恐不安。」

師言：「信仰應該要正信，不要迷信民間『有信無教』的信仰。只要放鬆心情，靜下心來，自然就不會招惹外鬼。佛教講『因緣果報』，該來的總會來，用歡喜心接受，業報很快就會過去。」

問：「求神問卜能解決困難嗎？」

師言：「我們要培養面對現實的勇氣和毅力，以歡喜心接受一切逆境，不要動輒求神問卜。這樣很容易招神惹鬼，苦中帶迷，迷則無法自主。」

問：「誦經能消業障嗎？」

師言：「若光是誦經就能消業障，那就沒因果了！人，有生就有死。譬如：買票坐車，買到哪一站，到站就該下車；除非事先補票，否則就得下車。意思是說，業障未現前時，就要先行善積福，以破災殃。」

【說信仰】

問：「何謂念而無念，無念而念？」

師言：「自然地念佛，時時以佛為念，不以『我』為念。」

會員：「有人建議我拜《地藏經》，一字一拜。」

師言：「立地藏菩薩的大願，勝過拜經一字一拜。不要捨掉心佛不拜，而拜白紙黑字；經即是道，是通往聖人境地的道路，莫執著經典而不肯實踐經義。」

問：「有困難時，求菩薩就能得到解脫嗎？」

師言：「眾生隨業而轉，人人心有千千結，菩薩慈悲隨機教化，受教即能解開心結。佛教是一門深遠的教育，能真心接受，力量即源源不斷，毅力自然產生。逆境現前不能只求佛菩薩，最主要還是在於自己的信心與毅力，只要憑藉這分心力，自然能破除任何困難！」

問：「我信佛，每天都會到佛寺拜佛課誦。我是不是應該每天去呢？」

師言：「不一定要天天拜佛。真正的『正信』應該要學佛，你若只是『拜佛』而不學佛，並非正信的佛教徒。」

會員：「先生反對我拜佛……」

師言：「拜佛、誦經，是我們修養知識的法門。但是如果學佛後，不僅本身修養沒改進，反而加深執著、迷信，只顧拜懺、誦經，時常往寺廟跑，這就難怪家人會反對了。先生有微詞時，應以他的立場來反省自己是否有所疏忽？這才是真正愛的真諦，信佛者的本分。」

問：「有人說念佛在中午十二點以前要念觀世音菩薩，十二點以後則念阿彌陀佛，究竟要如何念？」

師言：「只要全神貫注念佛名或菩薩名就可以。念觀世音菩薩是培養慈悲心，念阿彌陀佛是培養寬大心胸，不疑人、不疑事；心量大福報就大，有慈悲即有光明。」

問：「念釋迦佛與念阿彌陀佛有什麼不同？」

師言：「釋迦佛乃佛教本師，亦即娑婆世界的導師，我們依佛的教言而修行；念阿彌陀佛則為放下萬緣，心中觀想西方極樂世界。其實，心淨即國土淨。如果能修持到心地一片清淨，娑婆世界就是極樂世界。」

問：「我沒有智慧、不會念經，怎麼辦？」

師言：「你可以念佛，但必須念得你的心就是佛的心，才能與佛有同等的智慧。佛心就是大慈悲心。」

【說學佛】

問：「信佛是否會破壞家庭？」

師言：「信佛絕對不會破壞家庭幸福，也不會影響夫妻間的感情。一個信佛、持戒的人，不僅可以修身，更可以齊家、平天下。真正持戒的人，是最冷靜且理智的人，內心感情豐富，心地更慈悲。由此看來，信佛怎會影響家庭的幸福？」

來訪者：「旁人鼓勵我出家，但是我的心仍有雜念，常有幻音，持咒時更糟！」

師言：「學佛不一定要出家。出家後，如果內心雜念不斷，還是沒有用。有人結婚生子、在家學佛，雖然沒有出家，但能盡心奉養父母、護持佛法，這也是學佛，而且學得非常好，這就叫做『在家菩薩』。」

「佛教是活潑自在的宗教，但要正信。打坐和持咒若沒有明師指點，就不要再坐了。萬一再聽到什麼聲音，不管它就好；久而久之，幻聽的現象自然消失。其實，你所聽到的只是心的執著，由於執著才會有所感覺。」

問：「如何才能徹悟道理呢？」

師言：「唯有在佛陀的教化中，多聽聞教法；聽了之後，若能用心思惟、身體力行，自然就能了徹道理，不生煩惱；心無煩惱，智慧也就啓發了！」

學生問：「金山活佛的事蹟是不是眞的？」

師言：「金山活佛最重要、最稀奇之處，是在他的修養。他被罵、被攻擊或遇到逆境時，有一分寬大的心量——『隨它去，不管它！』這是我們應該學習的地方，而不是只好奇他的神奇事蹟。」

問：「師父的志業這麼龐大，爲千萬人所景仰，對佛教是項革新，也是一種突破，對不對？」

師言：「常常有人說我在革新佛教，其實我只是將佛教復古。因為佛陀在世時，並沒有深奧的經論律典，他是針對當時印度人民的生活背景、心理煩惱及社會病態，隨機施教——教導眾生如何安身立命，擴大心胸對待人，並奉獻愛心給社會，如是而已！現在的情形也是一樣。總而言之，說我『革新佛教』，不如說是『回歸佛陀時代的本懷』。」

來訪者：「師父所談的佛法不是很深奧，但是很吸引人。」

師言：「佛法並不深奧，它是很生活化的。佛陀教導我們如何生活在人間？何種生活才具有意義？這是佛陀真正的宗教教育。」

記者問：「宗教對社會的進步，有何功能？」

師言：「社會需要宗教，它能啓發人的良知。人的欲念如塵埃，將人性良善的一面遮蔽了；我們可以用正法洗滌人心，啓發每個人的良知，再引導他們發揮良能。」

問：「要如何才能深入了解宗教？」

師言：「想要了解宗教，並不是一、兩天就能做到的事。佛教也不只是拜佛或辦法會，而是教你了解人生，學習做人的道理，探討人生的宗旨。」

問：「爲什麼佛教不談地理？」

師言：「佛教不談地理，並不表示沒有地理。佛門談業力，業有兩種：一是善業，一是惡業。『福人居福地』，前世有這分福業，去到哪裡都是好地理；如果前世業障隨身，即使一方公認的好風水，無福的人也無法消受。人生在世，但求一心正念，心正氣盛，心開運通，到哪裡都很吉祥！」

【說布施】

問：「爲什麼富有的人，善事反而做得少呢？」

師言：「因為他們不明真理，缺乏勇猛的布施心，缺少斷欲去愛的勇氣，缺少憐憫眾生的愛心。所以說，『富貴學道難』啊！」

會員：「我玩股票如果賺大錢，就拿出來捐給慈濟！」

師言：「錢，生不帶來，死不帶去。最好安安分分地做事，有多少、捐多少，不要整個人跟著股票起起落落。我如果叫你不要做，一旦股票下跌時，你會感激師父救了你；但是股票若上漲，你又會埋怨師父讓你少賺了。你每天的心情隨著股票行情而起落，如何能產生智慧？又怎會有多餘的精力再做其他事？這種錢財要能捨，心才能得清淨！」

有人說：「錢不好賺！我才沒那麼傻，賺錢給別人用。」

師言：「取諸社會，用諸社會。今天我們有力量就要趕快播種，才能捨一得萬報。到底是及時行善傻，還是將錢囤積為死錢、變成業力來得傻呢？如果自以為聰明，不行善反而去造惡，才是最大的錯誤。」

【說修行】

會員請示「千手千眼」的涵義。

師言：「『千手千眼』是代表圓滿的意思。千眼表示到處的苦難都看得到，千手則表示什麼都可以做得到。」

問：「如何往生西方極樂世界？」

師言：「想往生西方極樂世界，必須發菩提心，培養善根福德，並且要身體力行。發心不要只發在口頭上，要發在腳底；道是用腳走出來的。西方淨土與娑婆世界相距十萬億佛國之遙，若不勤植善根，怎能到達目的地？」

問：「如何發出離心，趣向佛道？」

師言：「出家乃大丈夫事，要先自我磨練心理的健全。出家後不要先談『弘法利生』，要先修得身心無煩惱；在僧團中能和合且相處融洽就很不容易了！」

會員：「做濟貧工作很辛苦，眼見那麼多苦難眾生，感覺永遠救助不完，心裡很是煩惱！」

師言：「看到危困者，動惻隱心、伸出援手，是人之常情。佛度不盡眾生，仍立誓『眾生無邊誓願度』，所以要隨緣、盡力，見之即救。」

問：「人們是因爲造作惡業，才落得貧苦的果報。是否能在事前給予佛法的教化，使大家不致犯錯受報？」

師言：「佛法一直流布、弘傳著，許多法師努力弘法，即為匡扶人心，治其根本，防患未然。有緣者，自然得聞信受。」

問：「我不是老師，但是想從小學生的教育著手，灌輸他們正確的觀念，相信他們長大後就不致偏差、墮落。請問師父：我該如何跨出第一步？」

師言：「好好珍惜妳的幸福家庭，先用心教育子女；然後撥出時間到孩子的學校當導護媽媽，並主動到社區的育幼院貢獻愛心，多接近小朋友。和他們建立感情後，就有機會傳布愛心和智慧。」

問：「何謂陰德？」

師言：「陰德是行一切善而不求人知，一本善念而不求回報。」

問：「供養佛、法、僧是三寶弟子的責任，師父不接受供養，是否讓我們減少了布施的福報？」

師言：「供養有三——利供養、敬供養、行供養。我要成就慈濟志業，若非各位發心出錢出力，我一個出家人，哪有錢財和力量？你們以利供養來成就我千秋百世的法身慧命，更勝於供養我這副假合的身軀啊！」

「慈濟委員們『以師志為己志』，一心一意跟隨師父，這就是敬供養；而大家濟貧教富，身體力行於菩薩道上，即是行供養；如此利、敬、行三供養具足，我已接受了大家最大的供養。」

問：「出家應抱持何種心態？」

師言：「應抱持積極利益群眾的心，並對佛教的精神透徹了解，再衡量自己是否適應後才選擇出家。」

問：「爲什麼每個人看到師父都要虔誠頂禮？」

師言：「三寶弟子應該恭敬佛法僧三寶。僧伽代表佛陀傳法，不能恭敬於形，如何能受教於心？」

問：「拜天公要拜葷的還是素的？」

師言：「其實你拜什麼他都不會吃，這是以前農業社會的風俗，平日節省，一到年節就藉著敬神享口福而已。其實，拜拜只需鮮花、水果，最主要還是在於一念恭敬虔誠的心。」

問：「什麼叫神通？」

師言：「真正的神通，不是你們想像中一眼能見千里、一下子能飛到很遠地方或所謂刀劍不入；神通是佛教的一個形容詞，神是精神，通是專心，心專神就通。我們不是常說：『我想通了！』就是這個通。」

一位會員請示禮佛的意義。

師言：「禮佛是為了訓練我們的恆心、耐心、清涼心，也是去除傲慢、陶冶自我身心的課程。」

某外籍人士問：「來臺灣後見過許多寺院，唯獨此處是如此地簡樸，不見繁複的廟堂雕刻、精美的佛像和鮮豔的色調。請問慈濟如此做想保留什麼？捨去什麼？」

師言：「保留佛陀的精神，捨去凡俗物質。」

又問：「既然佛陀的精神隱含於心行，為何多數的宗教團體仍然保留它外在的宗教儀式？」

師言：「無形的精神文化，常藉有形的外在儀式來傳承。宗教儀式是一種傳統的禮節，絕對有它存續的意義。」

再問：「需要這些禮節儀式，是否因為我們個人不夠強？」

師言：「與強弱無關。人之所以異於其他動物，就在有文有禮。宗教儀式是延續文化的一種具體形式——禮不可廢。」

會員：「先生還未入佛門，因爲怕人家講被太太『度』了。」

師言：「『度』是好事，『度』字是佛教的術語，是謂感化。要度人須先自度，改變自己、以身作則，方能感化他人！」

記者問：「信佛和不信佛，有何差別？」

師言：「信佛和不信佛，就如同人性與佛性沒差別，但學佛者和不學佛者就有不同了！『學佛者』是以出世的精神做入世的事業，遇到任何困難都不會退縮，犧牲小我，不計較個人的得失；『不學佛者』則對得失看得很重。二者差別在於宗教情操的有無——只為眾生付出，沒有私心。」

問：「學佛的過程中，『行』的重要性如何？」

師言：「佛是福慧兩足尊。想要修得福慧必須在眾生中修，亦即必須身體力行；所以，我常說：『佛』是凡夫的目標，『凡夫』是成佛的起點，中間要經過菩薩道。力行菩薩道就是做利益眾生的事，如此才能達到成佛的目標。」

問：「密宗爲何要打手印？」

師言：「密宗的修行法——『口持咒、手結印、心觀想』，其用意是收攝『身、口、意』三業清淨。三業中若有一業不相應，就失去攝心的功能。」

問：「『阿彌陀佛』的意義爲何？」

師言：「阿彌陀是無量壽、無量光、無量智慧的意思，一句『阿彌陀佛』包含無限祝福！」

學生問：「菩薩有很多種，爲什麼大部分人都拜觀世音菩薩？」

師言：「因為觀世音菩薩與娑婆世界的眾生較有緣，他所修的耳根圓通法門，專門聽世間苦難眾生的聲音，以眾生的苦為自己的苦。苦雖要『堪忍』，但是在堪忍中需有慈悲心的關懷，才能解脫身心的痛苦。觀世音菩薩的悲願適合娑婆世界，所以大家與他較為親近。」

《金剛經》言：不能執「有」，也不能執「空」，究竟該取何相？

師言：「不執『空』也不取『有』，取中道而行就對了！否則就會像失衡的天平般，有一邊會往下墜。文字雖是假相，但要依假顯真，比如：人頂天立地、用腳走路，人生的道理就在日常生活中，總不能執理而廢事吧！做人若能事與理均衡，就不會走偏了人生的方向，亦即不執空或有。」

問：「七月拜拜，到底是佛教隨俗化呢？或是世俗從佛化？抑或神道諸雜教的流訛？鋪張及奔忙於各處拜拜，是否合於佛法？」

師言：「以佛教的正規，七月十五日的法會，其實應稱盂蘭盆會。『盂蘭盆』是印度語，譯為『倒懸』，是一種比喻。人死後若墮落三惡道中，尤其是餓鬼道，喉細如針，腹大如鼓，飢餓難堪，如被倒懸之痛苦。佛弟子用盆器盛著百味供養佛僧，承仗三寶福田之力，以解救先亡倒懸的痛苦。所以『盂蘭盆會』，也就是為解救先亡倒懸之苦而盛設供品，奉施佛僧之法會。」

「正信的佛教徒，應該用智慧分辨法會的起源，千萬不要盲目地奔忙；若無意義地鋪張浪費，不但違反佛教本質的教義，也不合政府提倡掃除迷信、節約浪費的政策。」

問：「佛教徒爲什麼那麼注重臨終前的助念？」

師言：「人在臨終前，各種神經功能瀕臨散壞，最為痛苦。不但身體上、精神上痛苦，加上累世的冤親全找上門，心中更加恐慌！此時若能在旁助念，讓他內心有所依靠，可以使他精神集中不散亂。而念佛聲則能形成一股氣勢將他護持住，使他的靈魂得到安慰，不會昏昏沈沈跑到地獄、餓鬼或畜生道上。」

問：「爲往生者作功德的眞正意義是什麼？」

師言：「抱持無限虔誠感恩之心為往生者作功德，所作功德大部分由生者承受。而往生者所得到的是遺愛人間及助你入佛門的功德，可謂『生、亡』兩利。」

弟子問：「要怎樣修習定力？」

師言：「把專心變成一種習慣，心不散亂就有定力。」

委員：「我不怕身體勞累，只怕有人事是非。」

師言：「行菩薩道，除了不怕身體苦，更不要怕心苦。學佛必須在人我是非中修學，不能遇到逆境就退轉。眾生都有成佛的本性，佛陀只擔憂眾生會起退道心。」

某居士請示：「在家居士修行，如何才能拋開執著？」

師言：「在家居士談修行，不如先修心。心若放不下，無明煩惱將會障礙修學；明知不該執著還要執著，如此煩惱就難斷除。」

問：「修行的路好難走，老是遇到挫折，怎麼辦？」

師言：「將佛法看透徹一點，世間法看開一點。我們每天面對的都是凡夫，有人就有事，有是就有非；應當學習身動而心不動，時時堅固道心，安心行菩薩道。」

一位會員請示如何懺悔？

師言：「過去的就讓它過去，只要把握現在不再犯錯，並且力行善道即可。」

【說業障】

問：「何謂『毒』？」

師言：「指貪、瞋、癡三毒。人生在世，多因你爭我奪，從癡起貪起瞋，進而毒害眾生。」

問：「什麼是魔道呢？」

師言：「一個人雖然修行得很認真，表面上看來甚有修持，但內心若還無法離開執著煩惱，這就是魔道。」

問：「什麼叫『業障』？」

師言：「就是受阻礙之意。別人之所以阻礙我們，是因過去生中，我們曾經阻礙過別人；亦即過去結了不好的緣，現在想做一件事時，障礙就現前，稱之為『業障』。」

一對憂心忡忡的父母，帶著靦腆憂鬱、年僅十來歲的兒子來見師父。他的兒子自從學習「打坐、練功」之後，每天失魂落魄，只想求神通，想成「仙」……

師言：「幻影就像電視螢幕一樣，你一執著某種幻象，就如同接上電源，幻影立刻就顯現。年輕人精力充沛，應該多與大自然接觸，不要整天關在屋子裡練功打坐、求神通，這樣很容易在腦海裡積存幻影。有病要吃藥，有健康的身體才能過踏實的人生。如果忽略了現實生活中的正常運作，只去注意那些虛幻的聲音、境界，人生將會變成一片空白，也會造成精神緊張。其實，不去理會那些幻音、幻影，它們自然就會消失。」

問：「有人說女眾的業障比較重，是嗎？」

師言：「不見得。各人隨業轉生，若肯發心，女人的力量也不小啊！如觀世音菩薩，即常以女身化跡人間。女人較柔和慈悲，而慈悲可以產生智慧，推動救世工作；因此，不要輕視自己。」

【說皈依】

會員求授皈依。

師言：「『皈』是反黑歸白、捨棄黑暗投向光明之意。未皈依前可能滿心黑暗，皈依後則面向光明的道路前進，把過去的一切錯誤捨掉，把握現在和未來的每一刻，用信心毅力和勇氣去實行真善美的人生。」

「身為佛弟子，要學佛的大慈悲心，將以前的壞習氣改正過來，比如：講話語氣重、愛罵人，或者人家對你不好就大發脾氣、亂摔東西；對小生靈若有好殺的習氣，也要儘快改掉。我們應以寬容之心包容他人，以慈悲心愛護一切眾生；即使只是亂摔東西，也算是一種殺生呢！」

「皈依之義，並不是要求佛菩薩保佑平安，而是培養真誠的愛心去幫助別人，以佛心為己心，才是真正的皈依。」

附錄

《附錄一》　不逆耳的忠言

李堅

一九八九年九月，我應新象活動推展中心之邀請，前來臺灣進行學術交流訪問。

在我離開臺灣的前幾天，友人何先生伉儷熱情地送給我一本證嚴法師的《靜思語》，並託我帶兩本《靜思語》分別贈給馬友友、林昭亮兩位藝術大師。

現在，《靜思語》已經成爲我形影不離、不說話的老師。在我遇到挫折時，《靜思語》給我力量，使我能振作精神來面對現實。當我取得勝利時，它又使我保持頭腦清醒、戒驕戒躁。此書字字句句都是眞理，我稱它爲「不逆耳的忠言」。

——大陸旅美青年鋼琴家

《附錄二》用毅力安排人生時間

李麗娥

從先夫住院到去世，我的心情始終沒有平靜過。每天過著憂思、恐懼的日子，先前的事物和眼前的事實總是無法清楚地認定，更不敢想像往後的日子該如何度過？不忍心回憶過去，卻又不禁沈浸於其中，那樣的矛盾情境，眞非筆墨所能形容！

出生於佛教世家的我，竟沒有接受佛學的熏陶，對人生無常、因果關係，毫無所知。在這段痛苦的日子裡，印眞法師——出家的二姊，一再地勸慰我，天天講因果、因緣等道理給我聽，也帶我到各道場參拜。雖然拜見過其他師父，也聽過他們的演講，但是仍然無法改變我的人生觀，憂戚悲苦的心結依舊打不開。

最近因印眞法師和慈濟功德會臺中分會取得連繫，認識了春治師姊而帶我加入慈濟行列，受她贈予《證嚴法師靜思語》一書。詳讀二遍之後，我深深感覺到自己是多麼愚癡！師父說：「用智慧探討人生眞義，用毅力安排人生時間。」這句話喚醒了我。過去的憂思、煩惱，不但使自己痛苦，連子女也跟著我痛苦。

深思之後，我不再執著於過去的自我憂思中，對人生的看法也稍有改變。雖然情緒仍無法立即釋懷，但決定開始學佛，努力改變自我，更願爲眾生的苦難發出愛心，盡自己的能力做有意義的事。

《附錄三》 承載大負擔

張愛娟

「事事如意、身體健康、減輕負擔」，一向是凡夫大眾最常祈求的心願，也是朝思暮想成眞的美夢。卻很少有人去思考：若事事不如意、身體不健康、負擔無法減輕時，「我」該怎麼辦？

事事不如意時，「逃避」或可避免一時的煩惱。但是，鴕鳥精神終究於事無補。唯有勇敢的面對問題，克服難關，才會有逆境轉順境的光明前途。

人的身體奧妙難解，生老病死又是必經之路。人的「心」最易受健康影響而悲觀、頹喪、消沈。如何在遭受病痛時還能

保持智慧與愛心？這是需要澄澈、堅毅的心靈才能做到。前不久，一位病重歌手在生命終點前，拍了一系列回饋社會的公益廣告，呼籲社會大眾珍惜生命，就是表現他愛社會、關心眾人的胸襟。

今年夏天，我承受了來自工作、家庭、親人的多重負擔與壓力。身心俱疲、心力交瘁時，最大的奢望就是：一個人逃得遠遠的，讓大家忘記我，我也離開這些負擔。當時，心靈深處出現一個念頭——試試看，做做看，瞧瞧自己有多少能力可以發揮？一段時間內能夠同時做多少事？就這樣，事情一件一件地完成，一樣一樣地解決，而我依舊安然存在。

從前每次許願時，總不外乎求平安、求健康、求快樂。今天欣逢八十年元旦，我恭讀證嚴法師的《靜思語》——新春三願，猶如吃了一記當頭棒喝，既愧又喜。慚愧過去自己的幼稚、懦弱，高興自己找到一個新方向。眞的，人生不如意事十常八九，只要有充分的勇氣面對現實，又何懼諸事不如意？生老病死由不得我，只要有智慧、愛心，天下有何人我不能助？有何事我不能做？負擔難免，若有大力量，就可以承載起大負擔。

今天我好高興，因爲在新年的第一天讀到這篇金科玉律，改變了自己的思想與看法。願與大家分享這分喜悅！

國家圖書館出版品預行編目資料

靜思語／釋證嚴著. --再版. --臺北市；慈濟文化，1999[民88]

冊；　公分

ISBN 957-8300-43-3（第一集：平裝）

ISBN 957-8300-44-1（第二集：平裝）

1.佛教--語錄

225.4　　　　88017294

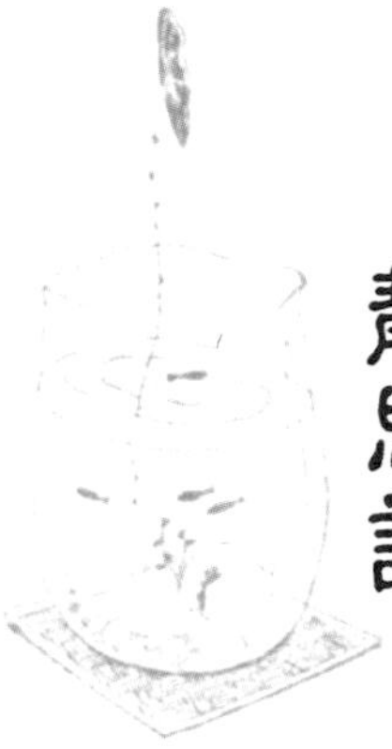

靜思語（二）

著作者　釋證嚴
編　輯　靜思書齋
內頁插畫　潘勁瑞
美術設計　色相聲劇工作室
出版者　慈濟文化出版社
臺北市忠孝東路3段217巷7弄19號
電話：02-2898-9888
郵政劃撥　14786031　慈濟文化出版社
排版者　凱立國際印刷股份有限公司
印刷者　優文印刷有限公司
出版日　1999年12月　再版 1 刷
2012年 7 月　再版220刷
行政院新聞局局版臺業字第4934號
定　價　200元

靜思人文
JING SI PUBLICATIONS
http:// www.jingsi.com.tw

ISBN：957-8300-44-1
Printed in Taiwan